탄생 110주년 기념

현대시조의 거장 시인 이호우

목언예원

탄생 110주년 기념
현대시조의 거장 시인 이호우

지은이 · 이호우
펴낸이 · 민병도
펴낸곳 · 목언예원

초판 인쇄 : 2022년 10월 15일
초판 발행 : 2022년 10월 20일

목언예원
출판등록 : 2003년 2월 28일 제8호
경북 청도군 금천면 선바위길 53 (신지2리 390-2)
전화 : 054-371-3544 (팩스겸용)
E-mail : mbdo@daum.net

ISBN 979-11-980051-0-6 03810

값 15,000원

경성고보시절

결혼식 장면 (1934)

고향의 친구들과 (1934년 8월 28일)

제1회 경상북도문화상 시상식 (1956)

구상 시인 출판기념회에서 (6 · 25동란 중 대구에서)

이호우 선생 내외 (1969)

2주기에 세워진
대구 앞산의 '개화' 시비 (1972)

시비 앞의 가족들 (1972)

대구 앞산의 시비 제막식 (1972)

앞산 이호우 시비 제막식에서의 누이 이영도 시인 (1972년)

이호우 시비 제막식 – 앞산 (1972)

이호우 시비를 찾은 청마와 이영도 외

영남시조문학회 회원들과

매일신문 편집국장 시절 야유회에서

박양균, 이설주 시인 등과 동촌에서

이호우 시인 생가

이호우 시인 생가

살구꽃 핀 마을 시비 – 남성현에서 팔조령으로 옮겨짐 (1992)

이호우 시비 '달밤' – 청도시조공원 (2016)

이호우 시비 '연' – 청도 유등연지

이호우 이영도 생가의 표징비

이호우 시비 – 오누이시조공원(2003)

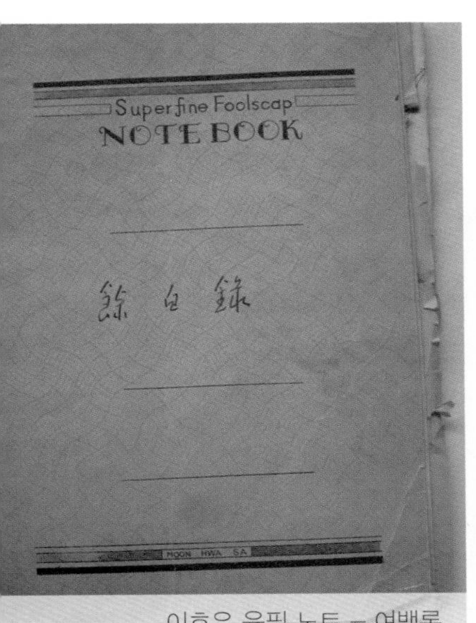

이호우 육필 노트 – 여백록

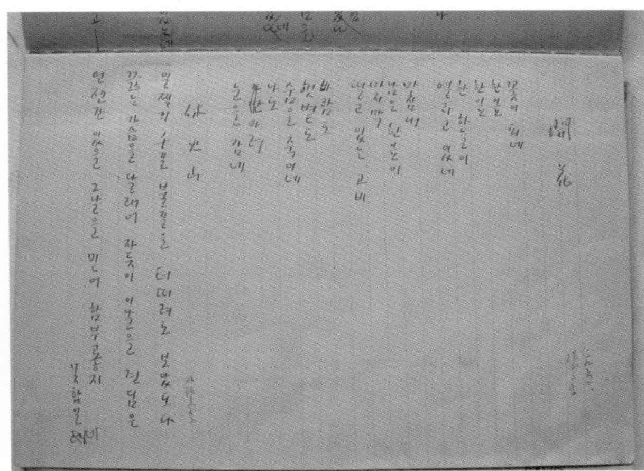

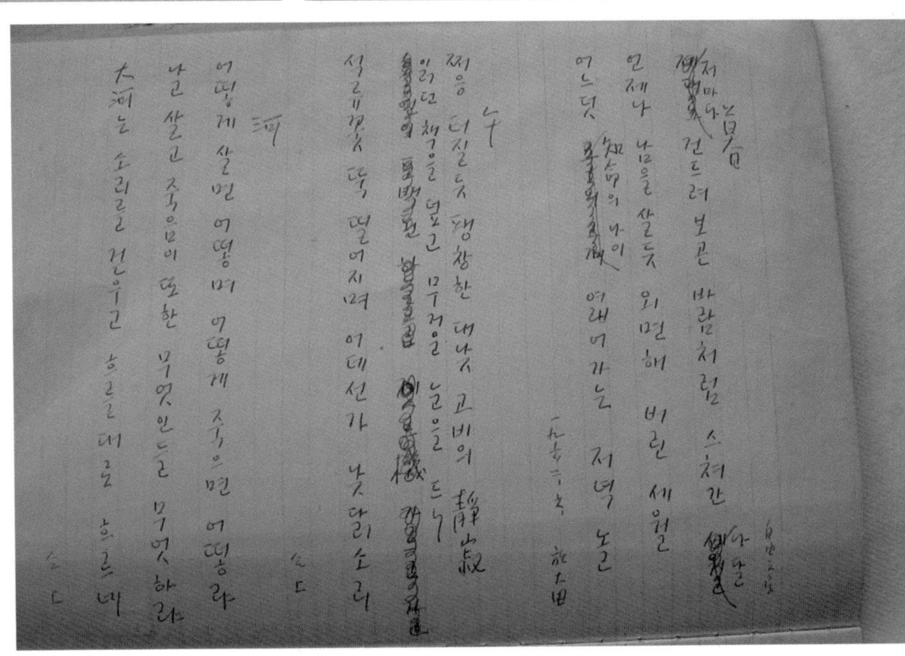

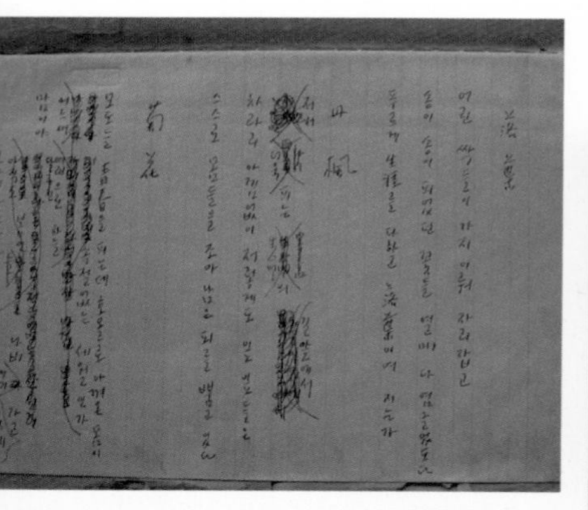

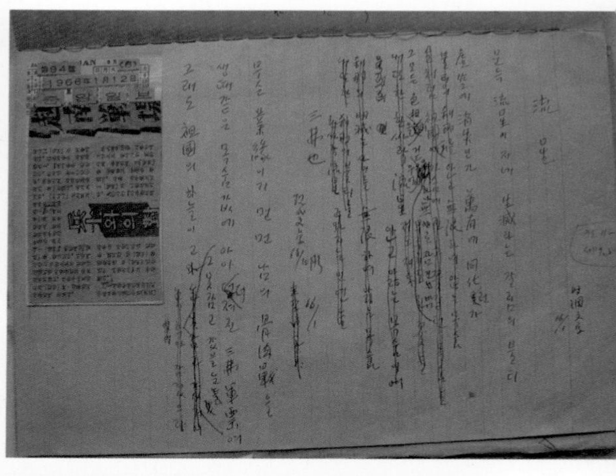

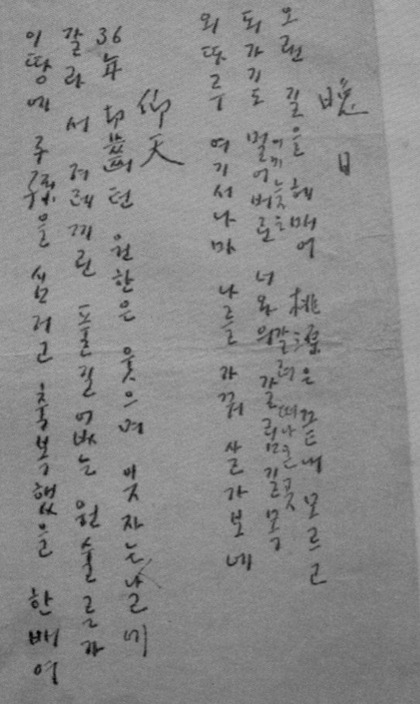

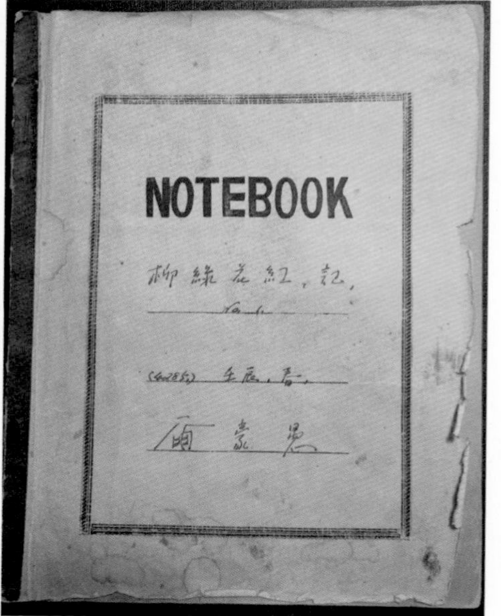
NOTEBOOK

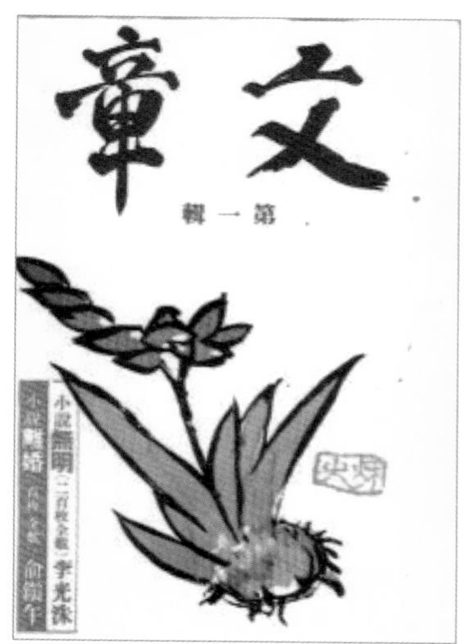

문장

이호우 시조집 (1955년)

이호우 선생이 발간한 낙강 창간호

휴화산 – 오누이 시조집

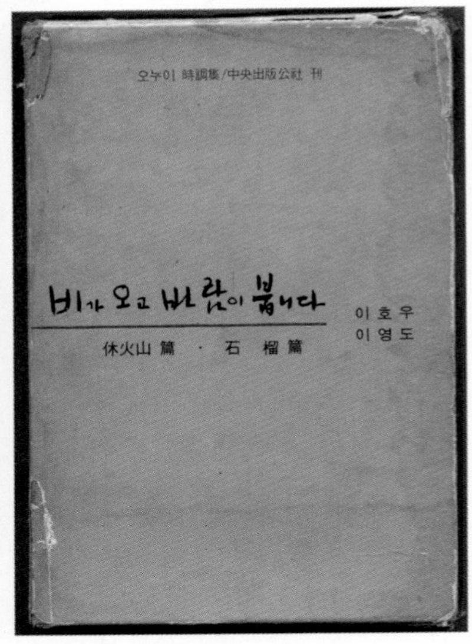

오누이 시조집 –
비가 오고 바람이 붑니다. 합본

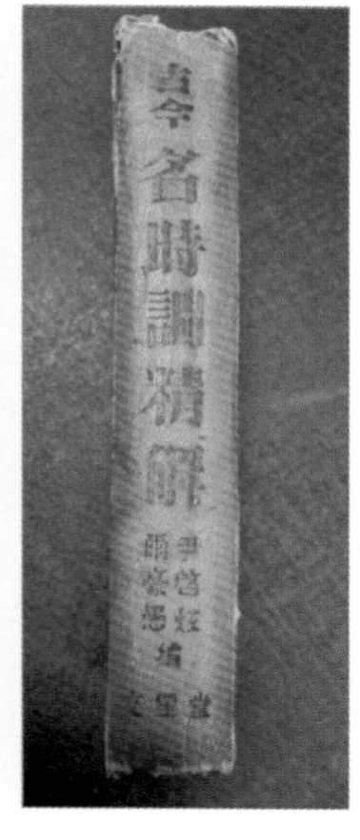

고금 명시조정해

개화 창간호와
이호우 문학기념회 회지 – 개화 30집

이호우 시조전집 – 차라리 절망을 배워

한국대표
명시선
100
이호우
한 하늘이 열리고 있네
시인생각

우리시대
현대시조
100인선
Sijo in Our Times:
Poems of 100 Poets
11
이호우
시조집
개화(開花)
태학사

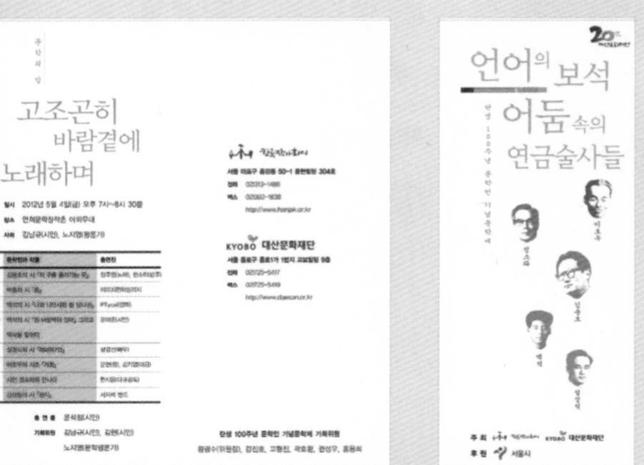
고조곤히
바람결에
노래하며
KYOBO 대산문화재단
언어의 보석
어둠 속의
연금술사들
이호우
서울시

대산재단 리플렛

이규현 옹 – 이호우 선생 조부

이호우 선생의 유품 제기

이호우 선생의 유품 제기와 반닫이

이호우 선생의 유품 반닫이

이호우 선생의 유품 소반

시화전에 출품한 이호우 선생 작품

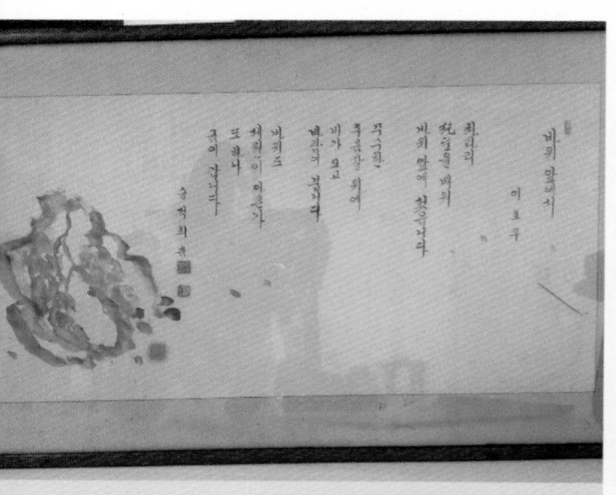
시화전 작품 – 바위 앞에서

이호우 선생의 아버지 우강 이종수의 묵화

대구일보 사장 감사장 (1968년)

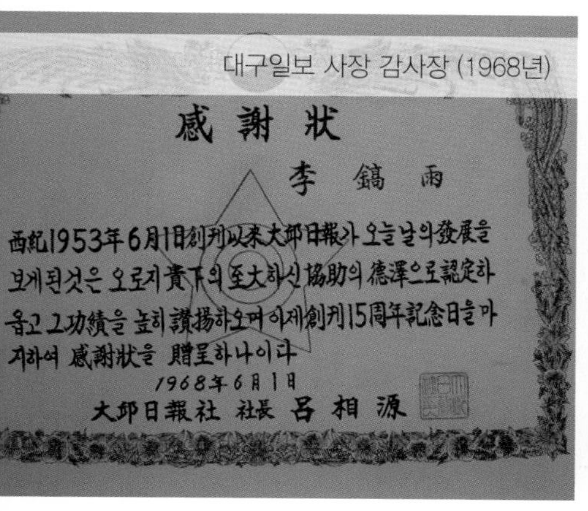

感謝狀

李鎬雨

西紀1953年6月1日創刊以來大邱日報가 오늘날의發展을 보게된것은 오로지貴下의 至大하신協助의 德澤으로認定하옵고 그功績을 높히 讚揚하오며 이제創刊15周年記念日을 마지하여 感謝狀을 贈呈하나이다

1968年6月1日

大邱日報社 社長 呂相源

제1회 경상북도 문화상 상장 (1956년)

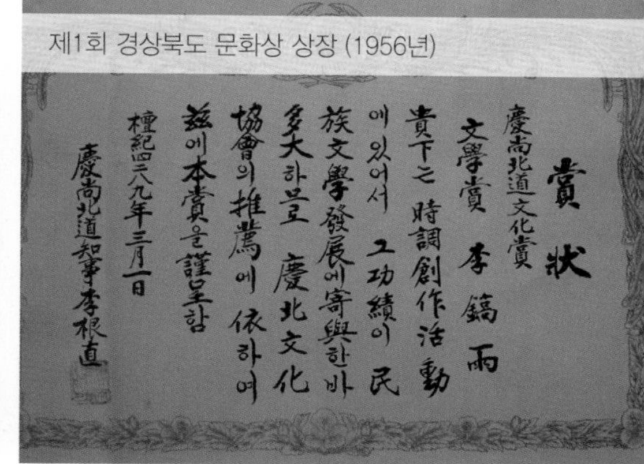

賞狀

慶尙北道文化賞

文學賞 李鎬雨

貴下之 時調創作活動에 있어서 그功績이 民族文學發展에寄與한바 多大하므로 慶北文化協會의推薦에 依하여 玆에本賞을謹呈함

檀紀四二八九年三月一日

慶尙北道知事 李根直

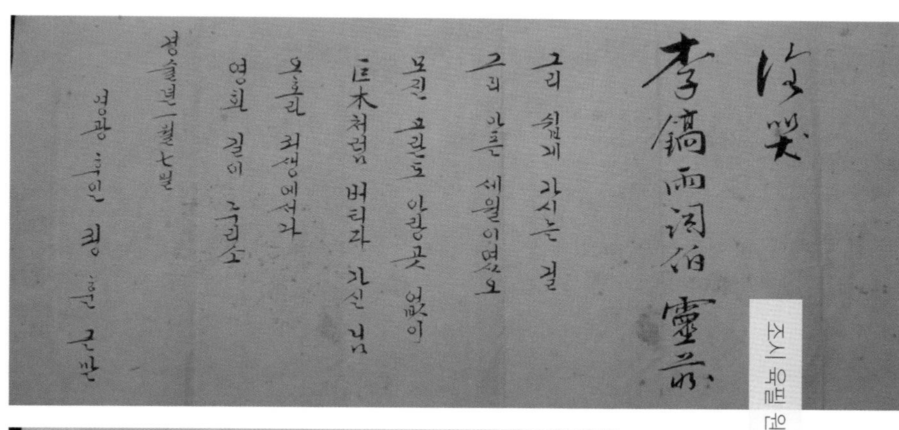

李鎬雨詞伯 靈前

그리 쉽게 가시는 걸
그리 아픈 세월이었오
모진 고난도 아랑곳 없이
巨木처럼 버티라 가신 님
오늘랑 저생에서나
영원 길이 누리소

경술년 一월 七일

영광 후인 정 훈 근만

조시 육필 원고 – 정훈 시인

조시 육필 원고 – 장정문 시인

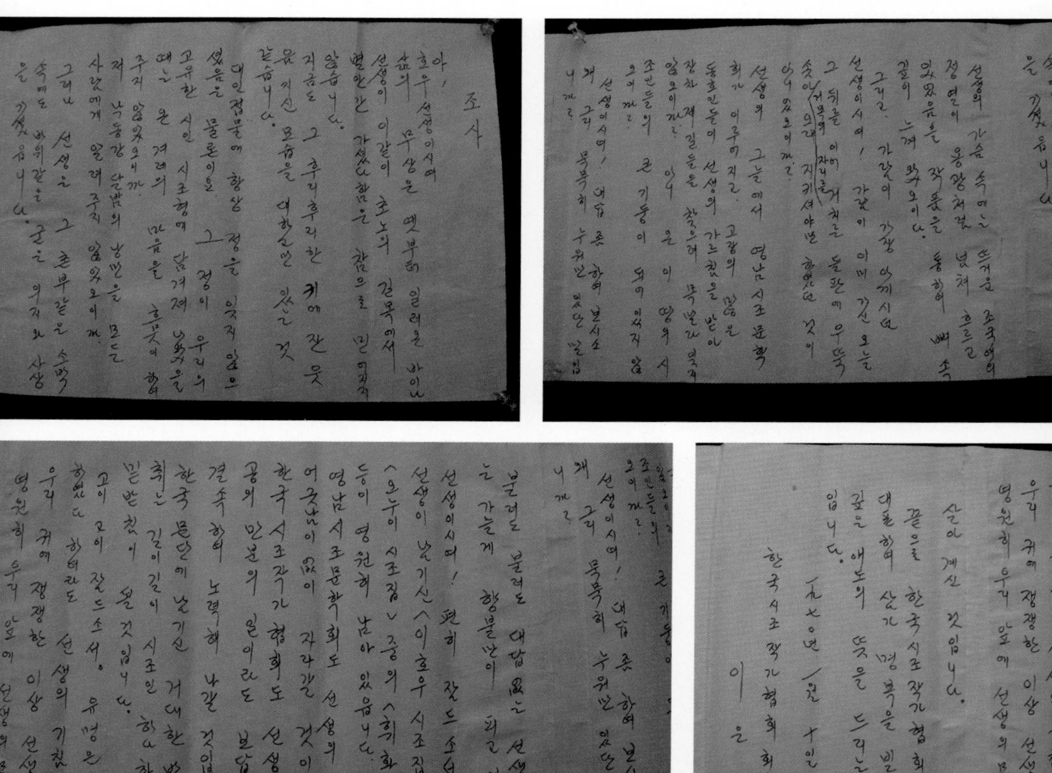

조사

아,
호우 선생이시여
삶의 무상은 옛부터 일러온 바이나
선생이 이같이 초노의 길목에서
별안간 가셨나 함은 참으로 믿어지지
않습니다.
지금도 그 후리후리한 키에 잔 웃
음 지신 모습을 대하는 것만 같은 것
같습니다.
대인접물에 항상 정을 잊지 않으
셨음은 물론이요, 그 정이 우리의
고유한 시인 시조형에 담겨져 넘쳤을
때는 온 겨레의 마음을 흐뭇이 해
주지 않았오리까.
저 낙동강 난벌의 낭만은 모든
사람에게 일러 주지 않았오이까.
그러나 선생은 그 촌부같은 순박
속에도 바위같은 굳은 의지와 사상
을 가졌읍니다.
선생의 가슴 속에는 뜨거운 조국애의
정열이 용광처럼 넘쳐 흐르고
있었음을 작품을 통하여 뼈속
깊이 느껴 왔오이다.
그리고, 가람이 가셨 어찌시선
선생이시여! 가람이 이미 가신 오늘
그 뒤를 이어 자나깨나 거처로 돌판에 우뚝
솟아 거목의 오래 지키셔야만 했던 것이
아니었오이까.
선생의 그늘에서 영남 시조문학
회가 이루어지고, 고장의 많은
동호인들이 선생의 가르침을 받아
장차 제 길들을 찾으려 목말라 했지
않았오이까? 아니 온 이 땅의 시
조인들의 큰 기둥이 되어 있지 않
오이까?
선생이시여! 대답 좀 하여 보시소.
왜 그리 묵묵히 누워만 있단 말입
니까?
불러도 불러도 대답 없는 선생 앞에
는 가는게 향불 뿐이 되고 있읍니다.
선생이시여! 편히 잠드소서!
선생이 남기신 〈이호우 시조집〉
〈오누이 시조집〉 중의 〈휴화산〉
등이 영원히 남아 있읍니다.
영남시조문학회도 선생의 뜻에
어긋남이 없이 자라갈 것이오,
한국시조작가협회도 선생의
공의 만분의 일이라도 보답코자
결속하여 노력해 나갈 것입니다.
한국 문단에 남기신 거대한 발자
취는 길이길이 시조인 하나하나의
밑받침이 될 것입니다.
고이 고이 잠드소서. 유명은 달리
하였다 하더라도 선생의 기침소리가
우리 귀에 쟁쟁한 이상 선생은
영원히 우리 앞에 선생의 문학철학
살아 계신 것입니다.
끝으로 한국시조작가협회를
대표하여 삼가 명복을 빌며
깊은 애도의 뜻을 드리는 바
입니다.
一九七○년 一월 十일
한국시조작가협회 회장
이 은 상

조사 육필 원고 – 이은상 시인

꽃이 피네 한 잎 한 잎
한 하늘이 열리고 있네
마침내 남은 한 잎이
마지막 떨고 있는 고비
바람도 햇볕도
숨을 죽이네
나도 아려
눈을 감네
이호우님의 시조 開花
임진년 가을
심연 노중석

차라리 絶望을 배워
바위 앞에 섰습니다
이호우님의 시

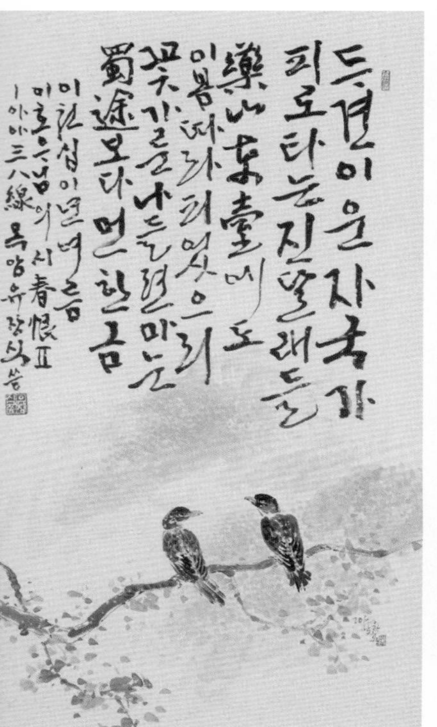

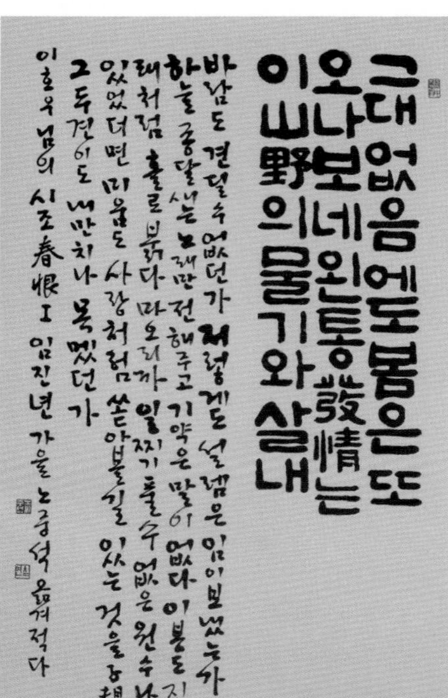

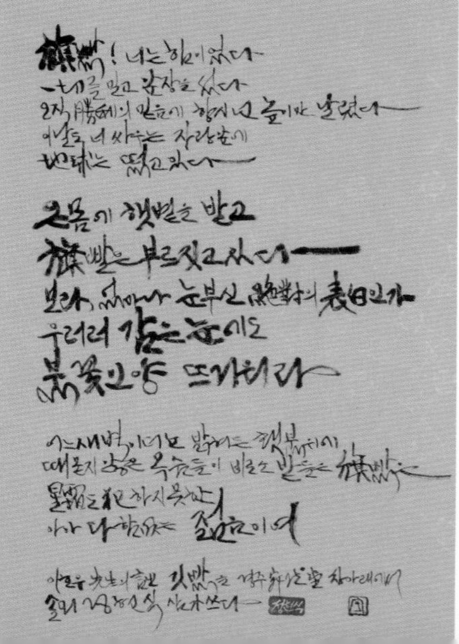

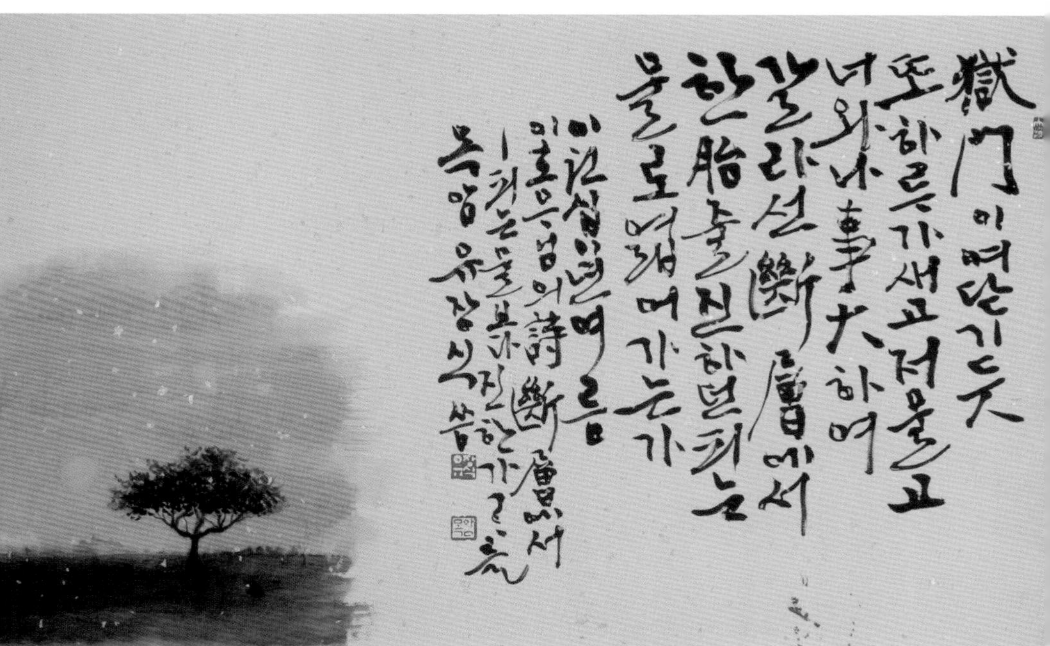

洛東江 빈 나루에 달빛이 푸릅니다 무엔지 그리운 밤
지향 없이 가고파서 흐르는 금빛 노을에 배를 맡겨
봅니다 낯익은 風景이되 달 아래 고쳐 보니 돌아올
期約 없는 먼 길이나 떠나온 듯 뒤지는 들과 산들이
돌아 돌아 뵙니다 아득히 그림 속에 淨化된
초가집들 할머니 趙雄傳에 잠들던 그 날 밤도 할버진
律 지으시고 달이 밝았더이다 미움도 더러움도 아름
다운 사랑으로 온 世上 쉬는 숨결 한갈래로 맑습니다
차라리 외로울망정 이 밤 더디 새소서

이호우님의 달밤을 적다 혜정 류영희

또 다시 새해는 오는가

빼앗겨 쫓기던 그날은 하
그리 간절턴 이 땅 꿈에서도
입술이 뜨겁던 조국의 이
름이 었다. 얼마나 목
숨줄이 지키고자 했던가. 강산이 돌아와. 이 삼십년 상잔의 피만 바라고
그 원수는 차라리 몰라도 너만은 멀어만 가는 아아. 이 겨레의 단층을
허덕이는 저 깃발 날로 높는 주검들이 밟오선 먼 바다를 장으로
싸매 기한 낙엽만 구르는데 상기도 지열을 믿으며 씨를 뿌려
오져느뇨 또다시 새해는 온다고 닭들이 울었나 보네 해바라기 해
바라기 처럼 언제나 버릇된 기다림 오히려 절망조차 못하는 눈물
겨운 소망이여 이호우님의 글을 쓰다. 지혜 강숙련

박에는 눈이 내리고 다방 鄕愁의 밤은 오히려
안 갠 양 시리는 茶 내음새 김나는 잔들을 끼리
앉았다 먼저 웃는 자 되리라 살아온 나 더러 먼
怒하는 자 되라 벗은 이르는가 한갈래 愛情일
라 두 길 아니오이다 항상 주는 자 될지라 벗은
이를 또 다 나는 즐거이 받는 자도 되오리라 받
에는 눈이 내리고 밤은 깊어만 가고
이호우님의 茶房鄕愁에서 혜정 류영희

살구꽃 핀 마을은
어디나 고향 같다
만나는 사람마다
등이라도 치고지고
뉘집을 들어서면은
반겨 아니 맞으리
바람 없는 밤을
꽃그늘에 달이 오면
술 먹는 초당마다
정이 더욱 익으려니
나그네 저무는 날에도
마음 아니 바빠라

임진년 여름 이호우 시
살구꽃 핀 마을을 동보 민영보 쓰다.

여기 한 사람이 이제야 잠들었도다
뼈에 저리도록 人生을 울었나니
누구도 [illegible] 말라

임진년 여름 이호우 시 墓碑銘을 동보 민영보 쓰다

구순 얼연에서
번갯의 골육전을
생때 같은 목숨 값에
아아 던져진 장불을 군호여
그래도 조국의 한숨이 고와
그 꽃 잠고 갔을 손

이호우님의 작품에를 쓰다
자혜 강숙련

그 눈물 고인 눈으로 순아 보질 말라 미움이 사랑을
앞선 이 각박한 거리에서 꽃같이 살아보자고 살아보자고
族이 祖上에 이르러도 깨달을 줄 모르는 무리 차라리 남이었
다면, 피를 이은 겨레여 오히려 돌아앉지 않은 江山이 눈물겹다
벗아 너마저 미치고 외로선 바람벌에 찢어진 꿈의 旗幅인양
날리는 옷자락 덥불어 미쳐 보지 못함이 내 도리어 섧구나
단 하나인 목숨과 목숨 바쳤음도 남았음도 오직 祖國의 밝음
을 기약함에 아니던가 일찌기 믿음 아래 가신 이는 福되기도 했어라

임진년 여름날에 이호우 시 바람벌을 꿈보 민영보 쓰다

南向 따스한 뜰에 꽃이랑 과일 심어 두고
江섶 푸른 밭에 오리도 기르면서 오로지
너로만 한 폭 그림같이 살자오 원든
막에 달이 오면 노래도 불러보고 별이래
우는 밤은 추억도 되새기며 외롬이
쌓이는 정에 담북 취해도 보자오 필레
꽃 흰 언덕에 벌꿀이 익을 때랑 접무
는 白楊 숲에 노을이 잠길 때랑 벗이
야 오시든 말든 흰 술 빚어 두자오
넓은 하늘 아래 목숨은 푸른 것이오
가슴에 이끼를 기르고 피가 진하지 않
으오 시랑이 해처럼 밝은 곳임이여
나와 가자오

이호우님의 시 임이여 나와 가자오를
목양 유장목 쓰다

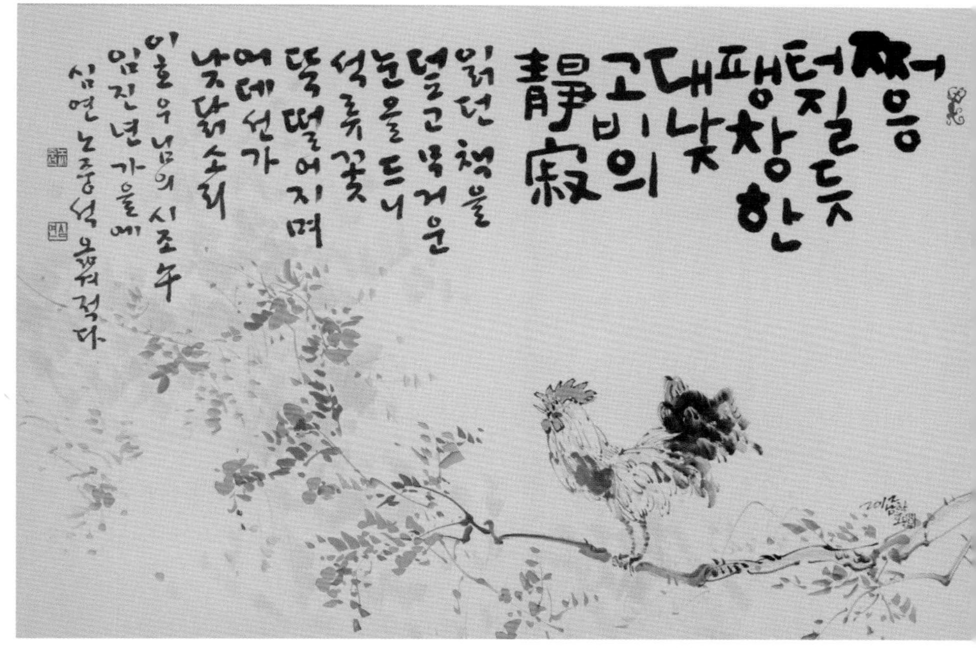
쩌응
터질듯
팽창한
대낮의
고비의
靜寂
읽던 책을
덮고 무거운
눈을 드니
석류꽃
뚝 떨어지며
어데선가
낮닭소리
이호우 님의 시조 午
임진년 가을에
심연 노중석 옮겨적다

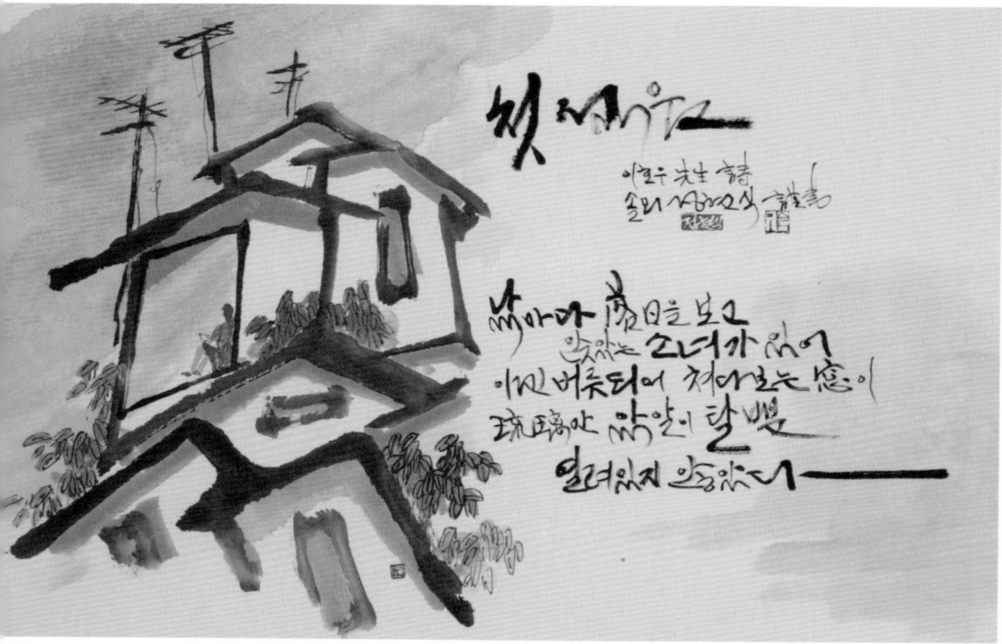

어떻게 살면 어떠며
어떻게 죽으면 어떠랴
나고 살고 죽음이 또한
무엇인들 무엇하랴
大河는 소리를 거두우고
흐를대로 흐르네
이호우님의 河를 쓰다.

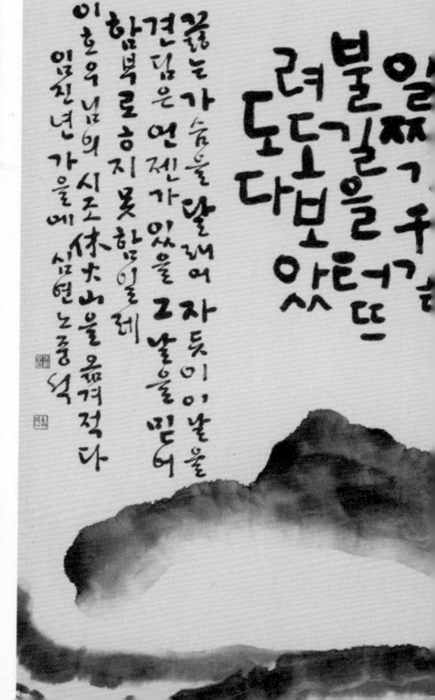
끓는 가슴을 달래어 자듯이 이날을
견딤은 언젠가 있을 그 날을 믿어
함부로 하지 못함일레
이호우 님의 시조 休火山을 옮겨적다

탄생 110주년 기념

현대시조의 거장 시인 이호우

목언예원

이호우 선생 탄생 110주년 특별시집을 엮으며

우리 민족 시학의 중심 장르인 시조의 현대화과정에서 이호우 선생이 거둔 문학적 성과는 실로 눈부신 업적이 아닐 수 없습니다. 선생의 시조는 전통적인 서정을 바탕으로 하되 불의를 용납하지 않았고 현실비판에 앞장서면서도 절제를 잃지 않았습니다. 언제나 조국과 민족의 미래지향적인 가치관에 주목하였고 존재와 우주질서의 근원적 탐구에 골몰한 시조사랑은 독자적인 개성미를 획득하였습니다.

더욱이 '개정'(개정 2021. 5. 18, 시행일 2021. 11. 19) 과정을 통한 아쉬움이 없지 않지만 국회 입법으로 정한 〈문학진흥법〉 "제2조 (정의) 이 법에서 사용하는 용어의 뜻은 다음과 같다. 1항 '문학'이란 사상이나 감정 등을 언어로 표현한 예술작품으로서 시, 시조, 소설, 희곡, 수필, 아동문학, 평론 등을 말한다."에서 보듯이 '시조'를 정부기관이 법으로 명문화한 장르가 되었다는 점에서 더욱 빛을 발하는 성과가 아닐 수 없습니다.

때맞춰 금년이 이호우 선생의 탄생 110주년이 되는 해입니다. 그간 〈이호우 · 이영도문학기념회〉의 다양한 노력과 선생의 고향 〈청도군〉의 지원에 힘입어 여러 가지 추모사업이 전개되었지만 선생이 남긴 문화

— 책머리에

유산은 실로 눈대중으로 평가할 대상이 아닐 것입니다. 이번에 특별전과 함께 선집을 기획하여 기리는 뜻도 바로 여기에 있습니다.

필자는 이미 문무학 시인과 함께 편집한 『차라리 절망을 배워』(그루출판사, 1992)에 이어 탄생 100주년에 『삼불야』(목언예원, 2012)를 편찬한 바 있습니다. 그 밖에도 〈우리시대 현대시조100〉 기획 시리즈에 『개화』(태학사, 2000)와 〈한국대표명시선 100〉 시리즈에 『한 하늘이 열리고 있네』(시인생각, 2013)를 책임 편집하여 선집을 발간하였습니다. 그럼에도 불구하고 공급이 원활하지 못하여 이번에 새로이 발간하여 많은 독자들이 공유할 수 있도록 편집하였습니다.

끝으로 이번 기획 선집 발간을 계기로 이호우 선생의 문학세계의 확산과 민족시의 정수인 시조의 국제화에 기여할 수 있기를 기대합니다.

이호우 선생의 탄생 110주년을 맞는
2022년 10월

엮은이 민병도

CONTENTS

현대시조의 거장 시인 이호우

— 탄생 110주년 기념

01

이호우 대표 시조 50선

개화開花

꽃이 피네 한 잎 한 잎
한 하늘이 열리고 있네

마침내 남은 한 잎이
마지막 떨고 있는 고비

바람도 햇별도 숨을 죽이네
나도 아려 눈을 감네.

묘비명墓碑銘

여기 한 사람이
이제야 잠들었도다

뼈에 저리도록
인생人生을 울었나니

누구도 이러니저러니
아예 말하지 말라.

학鶴

날라 창궁蒼穹을 누벼도
목메임은 풀길 없고

장송長松에 내려서서
외로 듣는 바람소리

저녁 놀 긴 목에 이고
또 하루를 여위네.

낙후落後

굿은비 젖은 낙엽落葉을
흙발들이 밟고 간다

철을 여읫다손들
저리 밟혀 말없긴가

나 인양 낙엽落葉이 미워라
와락 나도 밟고 간다.

오午

쩌응 터질듯 팽창한
대낮 고비의 정적靜寂

읽던 책을 덮고
무거운 눈을 드니

석류꽃 뚝 떨어지며
어데선가 낮닭소리.

휴화산休火山

일찌기 천千 길 불길을
터뜨려도 보았도다

끓는 가슴을 달래어
자듯이 이 날을 견딤은

언젠가 있을 그 날을 믿어
함부로ㅎ지 못함일레.

염불念佛

눈을 감고 앉아
염주念珠를 세는 노승老僧

부처의 손길은 오직
스스로가 느끼는 것

낙도落島와 같은 생애生涯를
내 시조時調는 나의 염불.

저녁 어스름

초秒를 하로로 살아도
다 못할 노여老餘의 날을

그 금싸락 오늘도 또
오욕汚辱으로 저무는가

차라리 어서 밤이나 되라
아아 이 저녁 어스름.

한일閑日

실바람 가지 끝에
서성대듯 살아 온 날

이슬의 무게에도
꽃잎 지듯 돌아 갈 날

비虛는 맘 허전이 겨운데
「소심素心」 새촉이 틋네.

낙목落木

그 새들 낙엽과 더불어 가고 외로 남은 낙목落木
칼날같은 하늬바람 별들도 아파 떠는데
지긋이 체온體溫을 다스리며 지심地心으로 뻗는 뿌리.

주름은 풍상風霜의 사연 함묵含默은 오히려 믿음일래
동지冬至의 긴 긴 밤도 이젠 닭이 울었거니
어덴가 한 걸음 한 걸음 오고 있을 봄이여.

얼었던 물길이 풀린듯 이 혈관血管의 가려움은
머잖은 봄을 기미챈 재바른 꽃들의 정精이
제마다 맹동을 서둘러 스멀대는 낌새가.

진실로 나는 모르네 이 벌판에 내가 섬을
상춘常春의 남南녘 다 두고 나도 모를 나의 우연偶然에
아손兒孫들 또한 여기에 심그저야 하련가.

춘한春恨 Ⅱ
–아아 삼팔선三八線

두견이 운 자국가
피로 타는 진달래들

약산 동대藥山 東臺에도
이 봄 따라 피었으리

꽃가룬 나들련마는
촉도蜀途보다 먼 한 금.

단층斷層에서
–피는 물보다 진한가?

옥문獄門이 여닫기듯
또 하루가 새고 저물고

너와 나 사대事大하여
갈라 선 단층斷層에서

한 태胎줄 진하던 피는
물로 엷어 가는가.

비키니 섬

방향 감각方向 感覺을 잃고
헤매다간 숨지는 거북

끝내 깨일 리 없는
알을 품는 갈매기들

자꾸만 그 〈비키니〉 섬이
겹쳐 뵈는 산하山河여.

삼불야三弗也

'一九六六年 一월 一二일. 중앙일보 월남현지보도越南現地報道. 〈베트콩〉과 최전방에서 싸우는 사병들은 하루에 일불一弗. 청룡부대 K 하사가 〈캄란〉에 상륙한 지 사흘 만에 죽었다. 부대 재무관은 고향으로 돌아가는 K 하사의 유해 위에 삼불三弗을 올려 놓고 눈물을 뿌렸다. 사흘 복무했으니 삼불三弗이 나왔던 것이다.'

무슨 업연業緣이기
먼 남의 골육전骨肉戰을

생때같은 목숨 값에
아아 던져진 삼불三弗 군표軍票여

그래도 조국祖國의 하늘이 고와
그 못 감고 갔을 눈.

상실喪失

고향도 고향 아니고
조국祖國이 멀어간 날

서로 사랑은커녕
미워할 미련未練도 없는

통곡도 다 못할 상실喪失이
슬프잖아 설워라.

추석秋夕

–언제나 가셔지려나 삼팔선三八線 벽壁은

이 가을도 조상祖上 앞에
한 자리 못 하는 형제

한 얼굴 강산江山이요
하나로 둥근 달을

만고萬古에 섧다는 은하銀河엔
칠석七夕이나 있어라.

또 다시 새해는 오는가

빼앗겨 쫓기던 그날은 하그리 간절턴 이 땅
꿈에서도 입술이 뜨겁던 조국祖國의 이름이었다
얼마나 푸른 목숨들이 지기조차 했던가.

강산江山이 돌아와 이십년二十年 상잔相殘의 피만 비리고
그 원수는 차라리 풀어도 너와 난 멀어만 가는
아아 이 배리背理의 단층斷層을 퍼덕이는 저 기旗빨.

날로 높는 주문朱門들의 밟고 선 밑바닥을
자유自由로 싸맨 기한飢寒 낙엽落葉마냥 구르는데
상기로 지열地熱을 믿으며 씨를 뿌려 보자느뇨.

또 다시 새해는 온다고 닭들이 울었나보네
해바라기 해바라기처럼 언제나 버릇된 기다림
오히려 절망絕望조차 못하는 눈물겨운 소망이여.

진주眞珠

배앝아도 배앝아도
돌아드는 물결을 타고

어느새 가슴 깊이
자리잡은 한 개 모래알

사이려 감싸온 고혈膏血의
구슬토록 앓음이여.

회상回想

몹시 추운 밤이었다
나는 '커피'만 거듭하고

너는 말없이 자꾸
성냥개비를 꺽기만 했다

그것이 서로의 인생人生의
갈림길이었구나.

애정愛情

너는 지우라지만
내가 어이리오

쓸어도 쓸어내도
눈 내리듯 쌓이는 정情을

이 목숨 휩싸 갈 바람
그날 하냥 하려니.

칠석七夕

어이해 이룬 밤인데
하마 저 닭우는 소리

비록 뼈를 저며도
해마다의 기약期約임을

너와 날 갈라논 강江은
오작烏鵲마자 없어라.

발자욱

봄은 화려華麗해 미웠고
가을은 투명透明이 싫었다

추억처럼 눈이 쌓이고
불빛 머나 먼 밤을

한 자욱 한 자욱 네가 고이며
나는 걷기만 하네.

매화梅花

아프게 겨울을 비집고
봄을 점화點火한 매화梅花

동 트는 아침 앞에
혼자서 피어 있네

선구先驅는 외로운 길
도리어
총명이 설워라.

비원悲願

저녁 노을 속에
첨탑尖塔 끝 치솟은 십자十字

천심天心은 겨눌수록
너무나 허공虛空인가

비원悲願은 절규絕叫를 견디어
기旗빨보다 아파라.

이룸

아껴 아껴 핀 꽃
너무도 하늘이 싱겁네

하그리 애타던 동경도
황홀턴 떨리움도

혼야婚夜가 밝은 아침의
이룸이여 허전이여.

가을

내 머리 이미 희고
가을이 또한 깊다

산야山野에 열매 다 염글어
젖줄들을 놓았도다

이제 내 허허 웃는 일 밖에
무슨 일이 있으랴.

정좌靜坐

설청雪晴 부신 창窓을
스미듯 처맛물 소리

조용히 묵墨을 갈아
붓에 먹이며 먹이며

마주한 옥판선지玉板宣紙의
보살같은 살결이여.

하河

어떻게 살면 어떠며
어떻게 죽으면 어떠랴

나고 살고 죽음이 또한
무엇인들 무엇하랴

대하大河는 소리를 걷우고
흐를대로 흐르네.

청우聽雨

–1961년 가을, 미소원폭실험경쟁美蘇原爆實驗競爭에 즈음해서

무상無常을 타이르는
가을 밤 비소린데

서로 죽임을 앞서려
뿌리는 방사능진放射能塵

두어도 백년百年을 채 못할
네나 내가 아닌가.

청추聽秋

아무리 여름이 더워도 싫단 말 다신 않을래
이 밤도 또 밤새워 우는 저 가을 벌레들 소리
더구나 우수수 잎들이 지면 어이 견딜가본가.

늘어난 나이의 부피로 잠은 밀려 갔는가
먼지처럼 쌓여지는 사념思念의 무게 아래
외롬이 애증愛憎을 걸러 낙화洛花같은 회한悔恨들.

욕된 나날을 견디어 내 또한 이미 가을
눈을 감아보니 청산靑山한 벗들이 많다
고향도 잊어 이십년二十年 이젠 먼 곳이 되었네.

열어 온 창窓들이 닫쳐 하늘과 내가 막혔네
유명幽明을 갈라 선 병풍屛風, 그와 같은 먼 먼 거리距離
종잇장 한 겹에 가려 엇갈려 간 너와 나.

기旗빨

기旗빨! 너는 힘이었다 일체一切를 밀고 앞장을 섰다
오직 승리勝利의 믿음에 항시 넌 높이만 날렸다
이날도 너 싸우는 자랑 앞에 지구地球는 떨고 있다.

온 몸에 햇볕을 받고 기旗빨은 부르짖고 있다
보라, 얼마나 눈부신 절대絶對의 표백表白인가
우러러 감은 눈에도 불꽃인양 뜨거워라.

어느 새벽이더뇨 밝혀든 횃불 위에
때묻지 않은 목숨들이 비로소 받들은 기旗빨은
성상星霜도 범犯하지 못한 아아 다함 없는 젊음이여.

바람벌

그 눈물 고인 눈으로 순아 보질 말라
미움이 사랑을 앞선 이 각박한 거리에서
꽃같이 살아 보자고 아아 살아 보자고.

욕辱이 조상祖上에 이르러도 깨달을 줄 모르는 무리
차라리 남이었다면, 피를 이은 겨레여
오히려 돌아앉지 않은 강산江山이 눈물겹다.

벗아 너 마자 미치고 외로 선 바람벌에
찢어진 꿈의 기폭旗幅인양 날리는 옷자락
더불어 미쳐보지 못함이 내 도리어 섧구나.

단 하나인 목숨과 목숨 바쳤음도 남았음도
오직 조국祖國의 밝음을 기약함에 아니던가
일찌기 믿음 아래 가신 이는 복福되기도 했어라.

다방茶房 향수鄕愁에서

밖에는 눈이 내리고 다방茶房 향수鄕愁의 밤은
오히려 봄 안갠양 서리는 차茶내음새
김 나는 잔들을 두고 끼리 끼리 앉았다.

먼저 웃는 자者 되리라 살아온 나더러
먼저 노怒하는 자者 되라 벗은 이르는가
한 갈래 애정일레라 두 길 아니오이다.

항상 주는 자者 될지라 벗은 또 이르도다
나는 즐거이 받는 자者도 되오리라
밖에는 눈이 내리고 밤은 깊어만 가고.

수평선水平線

어느 먼 전설傳說처럼
나를 불러 저 수평선水平線

온갖 꿈 다 싣고
가도 가도 물러만 서더니

저물어 돌아 오는 길
와도 와도 따라 오네.

길

이미 한 여인女人을 잊어도 보았으매
일찍 여러 벗들을 보내기도 하였으매
이제 내 원수로 더불어 울 수조차 있도다.

여우도 토끼도 산山은 한품에 안고
비록 더러운 흐름도 바다는 걷웠어라
이제 내 희느니 검느니 묻자 하지 않도다.

한번 우러러면 한 가슴 푸른 하늘
밤이면 별을 사귀고 낮이면 해를 믿어
이제 내 홀로의 길을 외다 아니 하도다.

살구꽃 핀 마을

살구꽃 핀 마을은 어디나 고향같다
만나는 사람마다 등이라도 치고지고
뉘집을 들어서면은 반겨 아니 맞으리.

바람 없는 밤을 꽃그늘에 달이 오면
술 익는 초당마다 정이 더욱 익으려니
나그네 저무는 날에도 마음 아니 바빠라.

달밤

낙동강洛東江 빈 나루에 달빛이 푸릅니다
무엔지 그리운 밤 지향없이 가고파서
흐르는 금빛 노을에 배를 맡겨 봅니다.

낯 익은 풍경이되 달아래 고쳐보니
돌아올 기약없는 먼 길이나 떠나온 듯
뒤지는 들과 산山들이 돌아 돌아 뵙니다

아득히 그림 속에 정화淨化된 초가집들
할머니 조웅전趙雄傳에 잠 들던 그날밤도
할버진 율律 지으시고 달이 밝았더니다.

미움도 더러움도 아름다운 사랑으로
온 세상 쉬는 숨결 한 갈래로 맑습니다
차라리 외로울망정 이 밤 더디 새소서.

태양太陽을 여윈 해바라기

태양太陽을 여윈 하늘은 푸를수록 더욱 서러워
오직 고개 숙인 채 우러를 길 없는 해바라기
지지도 차마 못하고 외로 섰는 해바라기.

한 마음 빌어온 그날 또 한번 믿기야 하건만
어느 사막砂漠에서뇨 바람이 바람이 분다
말없이 가슴을 닫고 지켜 섰는 해바라기.

번쩍 꿈처럼 번쩍 솟아보렴 아아 나의 태양太陽
우러러도 우러러도 비인 하늘을
오히려 꿈을 헤이며 기다려 선 해바라기.

매우賣牛

송화松花가루 나리는 황혼黃昏 강을 따라 굽은 길을
어슬렁 어슬렁 누렁이 멀리 간다
그 무슨 기약 있으랴 정이 더욱 간절타.

산山마을 농사집이 끼닌들 옳았으랴
육중한 몸인지라 채질도 심했건만
큼직한 너의 눈에는 아무 탓도 없구나.

너랑 간 밭에 봄보리가 살붓는데
걷우어 찧을 제면 너 생각을 어일꺼나
다행히 어진 집에서 털이 날로 곱거라.

영어囹圄

벽에 옮아지는 가느다란 햇볕을 지켜
오늘도 진 종일 시간을 징험타가
불현듯 하늘이 보고파 발돋음을 하였다.

아직도 짐승이 다 되지 못했는가
바람결 풍겨 드는 봄의 내음새에
한 가슴 와락 치미는 이 어이런 정情이뇨.

가만이 헤어보니 진달랜 이미 지고
강江마을 살구꽃이 제철로 곱겠구나
어머님 날 생각하시고 그 얼마나 우시랴.

날 새면 저물기를 저물면은 또 새기를
다만 바램이란 셋끼의 끼니 뿐이
목숨이 진정 목숨이 욕되기도 하여라.

지일遲日

채 맞아 쓰러진 파리 바시시 일어난다
미미한 벌레인들 생명이 다르리오
홀연히 애처로움에 채를 던저 버렸다.

남을 남으로 해 나를 달리 하였도다
일만一萬 살음이 이 모두 '내' 아닌가
햇빛이 선뜻 창窓에 밝으며 낮닭소리 들린다.

허일虛日

아무 생각도
떠오르지 않는 오후午後

파리 한 마리
손발을 비비고 있다

어덴지 크게 슬픈 일
있을 것만 같아라.

초원草原

상긋 풀 내음새
이슬에 젖은 초원草原

종달새 노래 위로
흰 구름 지나가고

그 위엔 푸른 하늘이
높이 높이 열렸다.

지연紙鳶

차마 못 끊는 연緣인양
이어진 실끝을 물고

천심天心을 겨누어 나는
한 조각 하이얀 꿈은

찬바람 저문 날에도
내릴 줄을 몰라라.

산샘

가을 산山빛이
고이도 잠긴 산샘

나무잎 잔을 지어
한 모금 마시고는

무언가 범犯한듯하여
다시하지 못 하다.

첫 설움

날마다 낙일落日을 보고
앉았는 소녀少女가 있어

이젠 버릇되어
쳐다 보는 창窓이

유리琉璃만 알알이 탈뿐
열려 있지 않았다.

금

차라리 절망絶望을 배워
바위 앞에 섰습니다

무수한 주름살 위에
비가 오고 바람이 붑니다

바위도 세월이 아픈가
또 하나 금이 갑니다.

이단異端의 노래

높디 높은 하늘 아래 땅은 넓기만 하고
사람의 사랑과 노래 금수禽獸보다 복福되던 그날
목숨은 불꽃처럼 붉고 뜨겁기만 했으리라.

산山과 들과 물이 있는 곳 어데나 기름졌고
마시고 먹음이 모두 절로던 후예後裔여든
어이들 가슴을 앓으며 여위어만 가는가.

꽃같은 젊음인데 봄바람을 돌아서서
슬픔도 죄罪이런가 울 수조차 없는 터전
지구地球를 번쩍 쳐들어 던져 버리고 싶다.

금단禁斷의 동산이 어디오 지옥地獄도 오히려 가려니
생명生命이 죽음을 섬기어 핏줄이 욕辱되지 않으랴
차라리 이단異端의 자랑 앞에 내 나로서 살리라.

춘한春恨 I

그대 없음에도 봄은 또 오나보네
왼통 발정發情는 이 산야山野의 물끼와 살내
바람도 견딜 수 없던가 저렇게도 설렘은

임이 보냈는가 저 하늘 종달새는
노래만 전해 주고 기약은 말이 없다
이 봄도 진달래처럼 홀로 붉다 마오리까

일찌기 풀수없은 원수나 있었더면
미움도 사랑처럼 쏟아볼 길 있는 것을
자규루子規樓 그 두견이도 내만치나 목멨던가.

*자규루 : 영월소재寧越所在

임이여 나와 가자오

남향南向 따스한 뜰에 꽃이랑 과일 심어 두고
강江섶 풀밭에 오리도 길르면서
오로지 너로만 한 폭幅 그림같이 살자오.

원두막에 달이 오면 노래도 불러 보고
벌레 우는 밤은 추억도 되새기며
외롬이 싸주는 정에 담북 취해도 보자오

찔레꽃 흰 언덕에 벌꿀이 익을 때랑
저무는 백양白楊숲에 노을이 잠길 때랑
벗이야 오시든 말든 흰술 빚어 두자오.

넓은 하늘아래 목숨은 푸른 것이오
가슴에 이끼를 가꾸긴 피가 진하지 않으오
사랑이 해처럼 밝은 곳 임이여 나와 가자오.

02 이호우 미발표 자유시 10선

편집자 주

이호우 선생의 유고 가운데는 자유시가 적잖게 발견된다. 그 가운데는 시조로 개작하여 발표한 경우도 있고 미완성인 상태의 시편들도 있다. 그러나 한 편도 자유시를 발표한 지면은 보이지 않는다.

이번에 찾아낸 자유시 원고는 이호우 선생의 친필로 정서해둔 노트여서 선생의 시정신을 연구하는데 기여할 것으로 보인다. 노트 표지에는 「柳綠花紅記」: 4285(1952), 壬辰, 春, 爾豪愚 라고 적혀 있어 의심의 여지가 없는 진품이다.

창窓

닫혀진 창을 보면 나도 외롭다.
문들이 닫혀 있는 집들은, 모두 비인 집만 같다.
비인 것처럼 슬픈 것이 또 있으랴. 비인 가슴, 비인 집, 비인 마을, 비인 세월, 그리고 또 비인 목숨!
그렇기에 나는 여름과 남쪽이 좋다.
비단 여름과 남쪽을, 때와 곳으로 일러리오. 스스로 마음 할진데, 언제라 여름이 아니며 어디라 남쪽이 아니리오.
모든 창문을 열어 재끼고, 모든 가슴을 열고 살면 모든 목숨이 또한 열려지고 풍성할 것만 같다.
하늘이 푸르러기에, 어찌할 수 없는 목숨을 안고 나는 오늘도 또 길을 걸어본다.
모든 집들이 꼭 꼭 문을 닫았다. 모든 사람들이 가슴을 닫았다.
비인, 겨울이다.
겨울은 참 가난하여 춥다.

권태倦怠

나는 피카소의 그림이 싫다.
그 권태에 못 이겨 악을 쓰는 꼴이 민망하다.
차라리 미처 보지도 못하는 이 마음을 그래 너는 어쩌란 말이냐.
하늘을 노려본다.
하늘은 참 넓다. 싱겁게도 퍼어렇다. 허허 웃고 있다. 그저 바보처럼 허벌래 웃고만 있다. 암만 보아도 바보처럼 허벌래 웃고만 있다. 자꾸 노려본다. 또 노려본다. 차차 좁아든다. 한 점으로 집결한다. 나는 내 눈을, 그 점을 겨누어 쏘아본다. 그 점이 춤을 춘다. 그 점이 분열한다. 분열한 점들이 또 춤을 춘다. 아아 하늘이 미쳤다. 나는 눈을 감는다.
다시 눈을 뜬다.
하늘은 그냥 넓다. 퍼어렇다. 허벌래 웃는다.
우리는 너무 오래 살았다.
지구는 늙고, 나는 말이 없다.
피카소의 그림이 몸부림을 치고 있다.
그래, 나를 또 어쩌란 말이냐.

잃어버린 핏줄

집마다 사립문들이 화알짝 열려 있고 곳곳이 살구꽃 복숭아가 핀 마을은, 어디나 내 고향만 같고 눈이 펙펙 내리는 밤, 불빛이 부더러운 창들은 다 내 집만 같애. 만나는 사람은 모두 정든 친구요, 오가는 여인은 죄 사랑하는 이만 같다.

그래서 우수 경칩이 지나면 어덴지 자꾸 길을 떠나보고 싶고 눈 오는 날은 밤이 깊어도 마음 바쁘지 않다.

누구나 미더운 정에 손을 잡고 툭 등을 처본다.

휘둥그래 모른다는 눈을 하고 돌아서 버린다.

사람이 사람을 모른다.

사람과 사람이 스스로 담을 쌓고 서로가 가두고 갇히어 서로들 앓고 시기하는, 참말 사람이란 달팽이보담도 외로운 길이다.

누구로 비롯한 담이뇨. 언제나 헐려질 담이뇨.

아득히 마음 해본다. 우리는 일찍 싱싱한 하늘, 산과 들과 물이 있는 곳, 어디나 자리하면 꽃 피고 새 울고 오곡 철따라 익고 모든 살음 햇볕처럼 따스고 풍성하며 사랑도 노래도 또한 마시고 먹음도 그저 다 절로만 하던 목숨들의 후예가 아니던가.

인정은 이미 다르고 아름다운 핏줄마저 잃어버린 가슴에 오히려 아아, 한 방울 아리는 피.

나는 이제 슬픈 부락을 떠날까 봅니다

하루의 옥문獄門이 닫히기 전,
머언 곳인 듯 종소리 웁니다.
열화처럼 뻘겋게 타는 배경 앞에서 낙조落照와 구름과 바람들이 연주演奏를 시작합니다.
이는 '계시啓示의 곡曲'이라 합니다. 음향보다 훨씬 예민한 표정과 동작의 선율旋律입니다.
항상 오늘보다 내일을, 괴로워하는 마음과 기다리는 눈만이 듣고 볼 수 있는 것이라 합니다.
오늘도 하냥 회의懷疑에서 격정激情, 격정에서 고민苦悶으로, 그리곤 회색 절망에서 그치는 겁니다.
회색 절망의, 그래도 여유 있는 여운餘韻에 청중은 무슨 구원이나 있을까 일어서 버리지 못하고 가슴에 손들을 얹고는 생각하고 있습니다.
나는 나를 어떻게 처리處理해야할 지 모릅니다.
나를 좀 가져가 달라.
나는 얼만가 눈을 감았다 떠 봅니다.
아주 무거운 밤이 나를 먹고 있습니다.
회의도 격정도 고민도 여운의 기도도 깊이만 잠겨 버렸습니다. 심연深淵의 시꺼먼 절망입니다.
나는 아무 회의도 없습니다.
밤보다 검은 낮은 없을 것 같습니다.
내일은 날이 흐려도 마음이 무겁지 않을 것 같습니다.
아무 계시도 없는, 하늘마저 없는 맹목盲目한 도시로,
향向해,
나는 이제 슬픈 부락을 떠날까 합니다.

-1952. 6. 21

밤이 이어진 언덕 길

만날 사람도 만나질 사람도 없는
모래 같은 바람이 부는 밤
끝없는 밤이 이어진 것만 같은
강섶 언덕길을 걸어가면
몹시도 푸른 물소리가 아쉬운데
비인 강바닥에 타는 마른 물이끼 냄새
은하銀河에도 물이 말라버린 듯
가슴에 잔금이 가는 것만 같구나
자꾸 한쪽으로 날리는 옷자락이
흩어져 가려는 위치만 같아서
나는 쥐고 가던 오늘의 신문쪽을
무슨 내 나 버리듯 날려 보내면
휘잉 어둠이 먹어버린다
암만 웃어 볼래도 웃어지지 않는 채
나도 모를 혀를 한번 차보곤
그냥 또 걸어가는 언덕길

–1952. 6. 25

자취

지구의 까마득 쌓인 누억만累億萬 연령의 진애塵埃위를 걸어간, 너무나 수많은 발자취 속에 너무나 적은 호말毫末 끝 한 점, 내가 무신無迅한 하늘을 우러러 자강불식 自强不息의 인생을 겨누어 홀로 시름해 섰다.

바람이 분다. 구름이 흘러간다. 꽃이 진다. 새가 운다. 무수한 사람들이 걸어간다.

이십유억二十有億의 발자국이 오늘도 또 내 가슴을 밟고 간다. 이날마다 날마다의 억년億年 걸어간 발자국 소리들이 어느 아득한 나라에서의 바람처럼 지구를 싸고돈다. 나를 싸고돈다.

어딘가 있을, 사뭇 열리지 않는 문을 바라 온갖 위치의, 온갖 자세의, 온갖 강도의 하늘을 향해 두드리고 부르짖은 발걸음들의, 아직도 가시지 못한 여운餘韻이냐. 은은히 가슴에 종鍾이 운다.

나는 도대체 여기서 무엇을 들으라는 건가. 무엇을 찾으려는 건가. 무엇을 들어, 무엇을 찾아, 어떻게 하려는가.

아무 것도 아니다.

무색無色에 이르러도 투명透明할 수 없는, 이는 무엇에도 버릴 수 없는, 내다. 어디에도 승화昇華할 수 없는, 다만 나로의 정情이다.

어디서 낮닭이 운다. 쩌엉 정적靜寂이 탄다. 나는 걸어간다.

발자국 소리가, 하늘로 달려간다.

가슴에 돌아온다.

–1952. 6. 30

무제無題

내가 나비보다 복됨은
화분花粉의 달가움 보담 한 잔 술맛이 뜨거워
낙화落花에도 한바탕 넘실 춤 출 수 있기 때문일 겁니다.

이단異端은 저렇게도 허허히 신神을 웃어도 보고, 건드려도 보고 미소微笑하며 안아도 보는데
신神은 사뭇 그를 미워만 합니다.
표백漂白된 선善만에 굳어버린 눈알보다
즐거이 악惡의 미美에도 눈물겨웁는 눈매가 차라리 나는 정다웁니다.

지옥地獄은 참말 매력魅力 있는 곳입니다.
자꾸 악마惡魔와 팔을 끼고 백주白晝의 거리를 걸어보고만 싶습니다.

인간은 끝내 넉넉한 것일 겁니다.
내 호흡의 폭 보다는 얼마나 넓은 하늘입니까
그렇기에 나는 항상 평범히 웃으며 삽니다.

–1952. 8. 3

유성流星

작열灼熱한 목숨의 산화散華는
차라리 청춘靑春의 화려華麗.

무신無迅한 하늘로도
한결 가빠만 지는 숨결에
억년億年을 순간에 모운
아아 한 점 불꽃이
스스로 휘뿌리는
칼날 같은 호선弧線.

진정 오랜 세월이었다.
호올로 태워 새운
밤마다 밤마다의
검고 시리던 하늘이여.

이제 이름 없는 외딴 골짜기
잊혀져버린 한 개 운석隕石을,
어이라 헤어
그대 찾아오랴.
다만 닫아둔 가슴 깊이
영원히 내만의
그 서럽게 찬란턴 꿈의 싸락뿐.

저라,
자꾸만 저라.
낙화落花의 항변抗辯!
허허한 어둠을 찢고
저기 또 하나
유성流星이 진다.
작렬灼熱한 목숨의 산화散華는
차라리 청춘青春의 화려華麗.

봄비

얼마나 고운 마음씨의 속삭이는 반가운 소식이기에, 이렇게도 가슴 깊이 젖어드는 정입니까.

어느 머언 그리움처럼 연연히도 내리는 봄비의 체온體溫에 싸여, 푸근한 밤을, 내 또한 그대로 안기에 편안합니다.

나무에 물이 오르는 소리 들리는 듯 푸른 마음속에, 무엔지 사물사물 더워지는 또 하나 피가 돕니다.

간혹 겨운 듯 후끈한 바람이 치치며, 가늘게 빗방울이 떱니다. 모란 적은 움 속에 한 점 꽃봉오리들이 가만히 배는가 보지요.

나는 사람을 싫어해 왔습니다.

그들은 나를 미워하지 않았습니다.

나는 또 그것을 시기했습니다. 그러나 아무도 나를 탓하지 않았습니다.

꽃은 제대로 피기만 하고, 하늘은 그대로 푸르고, 봄은 그냥 따수기만 했습니다.

외로움은 항상 스스로 모자람에서엔가 봅니다.

가난한 겨울의 때를 부드럽게 씻어주는 봄비 소리에, 내 눈의 안개도 걷어질 것 같습니다.

자연의 호흡 속에 차츰 내가 민망하지 않을 것만 같습니다.

나는 나로 보담 더욱 그대를 위하여 행복합니다.

–이상 〈柳綠花紅記(자유시, 1952)〉에서

젊은 꽃들이여

괴괴怪怪히 검은 산맥들을 타고
자꾸 바람만 부는 북녘 하늘 아래

부모도 고향도
온갖 아쉬운 청춘의 인연도
오직 임 앞에 바치고

어제도 오늘도
작렬한 조국의 가슴 위에
표표飄飄히 꽃잎처럼 쌓여지는 젊은 목숨들!

아아 절규도 격激하여 침묵沈默
이렇게도 조국은
뼈저리게 아픈 정情일런가

유구悠久히 역사와 더불어
항시 고왔던 그대들을 안고
조국은 이 날도
찬란燦爛한 내일의 꿈을 엮노니

아아 저도 저도 곱게만 피어나도
이 나라 멸滅없는 젊은 꽃들이여

-〈여백록(시조, 1968)〉에 첨부된 원고에서

이호우 산문 03

겨레의 혼魂이 담긴 샘 외 8편

이 호 우 李鎬雨

상생가능相生可能의 접목接木

나는 시조의 연구가도 아니오, 평론가도 아니다. 그저 마음 내키는대로 시조를 써 왔을 뿐이다. 그러므로 시조에 대해서 이러니저러니 하는 말을 할 주변도 없을뿐더러 말하고 싶지도 않으나 요즈음 시조 부흥 운동을 하고 있는 분들이나 시조를 쓰고 있는 분들 가운데 내가 보기로는 적지 않게 딱한 일들이 없지 않으므로 내 느낀 바를, 체계나 조리를 세우고 갖춤이 없이 그저 생각나는 대로 얘기해 보려 할 따름이다.

8 · 15 이후 특히 6 · 25동란 이후에서 줄곧 시조는 문단의 권외에서 간신히 그 기식을 유지해 왔을 뿐이었는데 근년에 이르러 시조문학時調文學이란 전문지가 간행되고 지난 해에는 다시 시조작가협회의 결성을 보아 기관지로 정형시定型詩가 나오게 되었으며 몇몇 지방에서 동인지가 발간되게 되면서 차츰 시조에 대한 일반의 관심이 높아지는 듯하다. 생각건대 그것은 무작정 서양문물에 심취한 나머지 분별없는 번식으로 인한 식상증을 자각하게 되어서 동양인, 더욱이 한국인의 식성과 위장능력이 감당할 수 있는 동양적인, 한국적인 것을 찾게 된 징조가 아닌가 싶다. 현란한 도시의 불빛에 끌려 불나비처럼 출분 방황하던

탕아가 자신이 태어나고 자라난 고향의 달밤이 그리워져서 발길을 되돌리게 되는 그와 같은 심정으로 이해됨직한 일이기도 하다. 구미제국은 우리나라 보담 과학문명에 있어서 확실히 선진한 나라들임에 틀림이 없다. 그러나 과연 그 과학문명의 도입으로 해서 겉보기를 떠난 내용에서 진실로 우리로 하여금 행복 되게 하였는가에 상도할 때 우리는 쉽게 긍정하기에 앞서서 잠깐 생각해 보아야만 하지 않을까 느껴지는 일이다. 현대의 우리나라의 서구적 지성들이 언필칭 뱉어내는 불안이란 것이 어디로부터 온 것인가? 현대가 불안의 시대임이 틀림없는 사실이라 하더라도 우리는 끝내 불안하기 위하여 무작정 그 불안 속으로만 불안을 찾고 구하여 헤매어야 할 것인가? 비록 불안에서 벗어나지 못할지언정 그 불안에서 놓여나고저 힘써야 할 것이 아닌가를 생각할 필요가 있지는 않을 것인가? 우리는 이제 동양적인 고요를 되찾는 자세를 가다듬으며 구미적인 데에서만 맹종하려던 몸짓에서 차츰 자성할 때도 오지 않았나 보여진다. 영양학적으로 육식이 좋다고 해서 오랜 세월 속에서 굳어진 체질을 요량함이 없이 갑자기 함부로 해온 지나친 육식은 우리나라에 지방과다로 인한 동맥경화증을 불어나게 한 결과를 가져온 것과 마찬가지로 시문학詩文學에 있어서도 같은 현상이 나타나지나 않았는지 모르겠다. 외래문화를 접목하는 법과 마찬가지로 어디까지나 그 피접체인 접본과 접체인 접지가 서로 동화 또는 상생相生할 수 있는 성질의 범위 내에서만 이루어지는 것으로 믿는다. 아무리 좋은 품종이라 하더라도 융합될 수 있는 한도 내에서 추진할 일이지 도저히 서로 상응할 수 없는 이질간의 접목을 억지로 성취시킬 수는 없는 노릇이다. 매화나무는 매화나무끼리나 또는 상생가능의 살구나무에는 접목할 수 있어도 사과나무나 감나무에는 접목할 수가 없다고 듣고 있다. 구미와 우리는 주지 음식의 생활방식뿐 아니라 부고 방법까지도 달리하는바 너무나 많은바 있다. 일예로 죽음에 대해서만도 저들은 그것의 불가피를 알면서도 끝내 항거하고 이겨나려고 하는데 비해 동양에서는 그 불가피를 불가피로 받아 들여서 오히려 그에 달관코저 하지를 않는가, 우리나라 사람들이 구미를 여행할 때 그 시원찮은 고추장이나 김치의 생각이 간절함은 그 고추장과 김치가 저네들의 음식보다 낫다 못하다가 아니라 하나의 굳어진 식성에 연유된 것이 아니겠는가. 이와 같이 무릇 범사는 그 우열에 보다 적성에 있음을 우리는 짐작할 수 있다. 그러므로 문화에 있어서도 피아의 우열을 따지기보다 그것이 우리의 체질에 받아들여질 수 있는가 아닌가의 여부를 먼저 생각해야 할 문제인 것 같다. 구미의 문물이 설사 우리에 앞섰다 하더라도 이질목異質木에 접목을 도모하는 것과 같은 우愚는 범하지 않겠금 유의할 일이 아니겠는가. 그리고는 물질문명에 앞섰다고 정신문화에서도 저들이 우리보담 과연 앞섰을까 한번 생각해 볼 일이라 느껴진다.

민족시國民詩로써의 시조時調

시가 과학이 아니라면 우리는 조용히 오늘의 우리나라 시를 한번 되살펴 볼 필요는 없을 것인가 묻고 싶은 심정이다. 영탄과 감상을 배제함은 마땅하다손 치더라도 비애와 호소를 부정하고 인간됨의 윤기와 체온을 상실한 차거운 쇳소리가 신경질 적으로 우리의 고막을 자극하는 속에서 우리는 과연 언제까지를 견뎌낼 수 있을 것인가? 전등 아닌 호롱불 아래서라도 좋으니 토장국이라도 달게 먹으며 고향의 산야에 안겨서 소박한 마음들끼리 조용조용 정을 나누어 보고픈 그런 아쉬움이 되살아나듯이 요즈음 시조에 관심들이 쏠리게 된 것이라면 그리 이상할 일도 아니다. 그러면 시조라는 형식의 시가 우리들에게 필요한 것이며 유위한 것인가? 이에 대해서 나는 먼저 우리들에게 국민의 시가 필요하고 유위한 것인가를 물어 보고 싶다. 만약에 한 국민에게 노래가 필요하고 유위한 것이라면 곧 시조도 있을 필요가 있고 또 있어서 유위하다고 본다. 그는 시조가 일부에서 말하는 문학성 여부의 논의를 넘어서서 국민시로서 가장 알맞은 조건의 시형이기 때문이다. 왜냐하면 국민시는 짓기 쉽고, 외우기 쉽고, 부르기 쉽고, 알기 쉬워야 하는 까닭으로 정형이어야 하고 단형이어야 하며 음악성 즉 가락이 있어야 하고 공감성이 짙어야만 한다. 비록 그것이 문학성을 저해할 수 있는 요인이 된다 하더라도 국민시로서는 불가결의 요소인 것이다. 물론 높은 문학수준의 시가 더욱 고도화하고 성취되어 가야만 한다는 것은 이론異論의 여지가 없는 일이다. 그러나 일반국민의 모두가 높은 수준의 시를 이해하고 따라간다는 것은 아무리 고도의 문화민족체라 할지라도 그것을 바랄 수는 없는 일이라 보아도 잘못은 아니리라 믿는다.

오늘의 우리나라 자유시가 난해하다고 대다수의 국민들이 머리를 저으며 그를 외면하는 경향을 나타내고 있는 사실이 이를 말하고 있는 것이 아닌가 보아진다. 국민시는 위에서 말한 바처럼 무엇보다도 평이平易 간결해서 이해하기가 쉬워야 하고 직선적인 공감성을 갖춤과 동시에 단형이고 가락을 가짐으로 해서 외우기 수월하고 구전하기가 쉬워서 널리 국민의 사랑과 애송을 받아야만 하는 것이다. 국민시는 그 국민의 생동하는 숨결이요 그 국가의 복음이다. 국민의 노래를 가진 나라는 확실히 축복된 나라요 노래를 가지지 못한 나라는 온기를 잃은 불모지라 한다면 지나친 말이 될 것인가? 국민시를 가짐으로써 한결 더 그 국민이 윤기와 온기를 얻을 수 있는 것이라면 이 얼마나 은혜로운 일로서 시조라는 알맞은 국민 시형을 가지게 된 우리야 말로 진정 복되다 하겠다. 우리는 이를 이룩하고 물려 준 우리의 조상들에게 진심으로 감사하고 그 은혜에 보답토록 이를 정성 들여 가꾸고 키워가야만 할 것이다.

그러므로 때늦게나마 시조에 대한 관심이 높아지고 있다는 사실은 매우 기쁜 일이라 아니할 수 없는 일이다. 지금까지 많은 선인, 선배들과 동도同道들이 이의 발전과 향상에 심혈을 기울여 온 노勞와 공功에 대해서 충심으로 감사하지 않을 수 없다.

무안無限히 힘든 파격破格

그러나 시조 부흥에 힘써 온 분들 가운데에는 본의는 아닐지나마 양산에만 유의하여 질적 고려를 등한히 하고 또는 신진들을 너무 안이하게 내세운 폐단이 없지 않아서 시조의 질 저하를 초래하고 따라서 시조를 문자의 권외로 외면케 하는 역결과를 자초하였음이 없지 않았음은 한스러운 일이라 아니할 수 없다. 그것은 신진들의 창작의욕을 돋구어 준다기보다는 차라리 알뜰히 공정을 쌓아서 장래에 유위한 작가로 성취할 수 있는 싹수있는 양재良材감을 설키워 아깝게도 불량목不良木으로 망쳐 버리는 작위가 되기 고작일 것이기 때문이다. 한포기를 심고 가꾸더라도 양화를 심고 가꾸어야 할 것이지 잡초를 심고 가꾸어서야 어찌 가히 앞날의 아름답고 향기로운 개화를 기약할 수 있을 것인가?

잡초는 오히려 심고 가꾸지 않더라도 절로 나서 무성키 마련이요 양화는 정성 들여 가꿔주고 그를 범하기 일수인 주위의 잡초들을 항상 삭제해 주어야만 하는 법이다. 잘못 버려두면 무성한 잡초들의 성화로 말미암아 개화를 보기도 전에 시들어버리고 말기 쉬운 때문이다. 기탄없이 말을 하려면은 이미 벌써 잡초들의 무성이 지나쳐 버려서 제초작업이 어렵게 되지나 않았나 싶기도 하다. 우리는 하루빨리 양산의 우愚에서 벗어나서 질적인 상승을 도모해야만 진정한 시조 부흥을 이룩할 수 있을 것으로 여겨진다. 이와 같은 시조 부흥운동의 올바른 방향으로의 전진을 촉구함과 아울러 시조 작가들도 지금까지의 자기를 냉철히 재비판하여 보다 겸허하고 진지한 자세로 돌아가서 우리 시조를 우리 국민이 요망하는 좋은 국민시로 이끌어 올리게스리 모든 힘을 기울여야만 할 것이다. 그러면 우리 시조 작가들은 어떠한가? 첫째로 말하고 싶은 것은 파격破格을 하는 것이 시조의 현대화처럼 감상을 하는 모양인지 마구재비로 파격을 일삼는 분들이 있는 일이다. 파격은 어쩔 수 없는 피치 못할 경우이거나 아니면 파격을 하므로 해서 가일층의 묘를 조성할 수 있을 때에 비로소 할 수 있는 일로서 파격을 한다는 것은 극히 조심해야 할 일이며 여간 어렵고 두려운 것이 아닌 것이다. 깊은 공정을 쌓지 않고서는 제대로의 자신을 위에서가 아니면 생의生意치 않아야 할 줄로 믿고 있다. 예컨대 추사秋史의 필치도 하나의 파격이라 한다면 그가 얼마나 보다 깊은 기기 조련의 공정을 쌓은 나머지, 그리고 얼마나 높은 경지와 만만한 자신 위에서 이룩한 파격인가를 생각할 때 우리는 파격의 진면모를 짐작할 수 있는 일이다. 어느 국민학교 아동들이 추상화를 그리고 있는 것을 본 일이 있다. 수십 년을 공부해도 득달하기 쉽지 않을 화법의 기기 공정을 배우고 쌓기에 앞서 추상화 아닌 추상화를 그리고 덤비는 그 어린이가 과연 장래에 어떤 화가가 될 것인가를 상상할 때에 실로 민망함을 금할 수 없는 일이다. 추상화는 속임수가 통할 수 있을는지 모르겠다. 그러나 그러한 심보로 출발에서부터 장난질을 배우고 가르친다면 그 앞날이 훤히 내다보이는 일이다. 어귀수련이나 표현력의 기기 공정은 쌓으려 하지 않고 아무렇게나 파격부터 일삼고 있는 것이 이 어린이와 다를 바 무엇이겠는가 말이다. 딱한 일이라 아니할 수 없다. 추사도 의법탈법依法脫法이라 했다. 시조의 파격도 또한 마찬가지이다. 멋대로 파형을 일삼아서는 안 되는 것이다. 결코 파격은 아직 잘 기지도 못하면서 날기부터 하려는 그런 사람의 무분별과 속임수의 도피처가 될 수는 없는 일이다.

무엄한 신기新奇의 기교

다음으로 양장시조兩章時調라는 사생아이다. 과문寡聞의 탓인지는 모르겠으나 시조는 三장으로 된 정형시조이지 二장으로 되었다는 말을 들어 본 일이 없다. 정형시는 그 정형을 이탈할 때에는 벌써 그는 정형시가 아닌 것일 것이다. 따라서 一행이나 二행으로 씌여졌다면 그는 이미 시조가 아닌 것으로 생각할 수밖에 없는 일이다. 아예 一행이든 二행이든 마음대로 쓸 수 있는 자유시를 쓸 일이지 구태여 양장兩章시조라 이름 하여 고유의 정형시인 시조를 구차하게 할 까닭이 무엇인지 모를 일이다. 공연히 재승에 못 이겨 신기新奇를 해보려는 행위는 삼가 할 일이다. 새로움과 신기와는 그 본질이 다른 것이라는 지극히 상식적인 말을 새삼스레 말하지 않으면 안 되는 것을 스스로 민망히 생각한다.

셋째로 시조의 현대 시화現代時化를 구호로 내세우는 분들을 적지 않게 볼 수 있다. 시조의 현대화란 말은 알아들을 수 있겠으나 현대시란 말이 자유시에 통하는 것이라면 시조의 현대시화란 말은 요량하기 어려운 말이다. 시조는 근대의 것일뿐더러 시가 아니니 현대화 시키고 시화시키자는 말인가. 아니면 시조를 자유 조화시킨다는 말인가. 만약에 전자라면 시조를 시조인 자신이 시의 권외에 두어 왔다는 말이요, 후자라면 시조 자체의 존재마저 말살해 버리고 자유시로 대치하자는 작위와 다름이 없다 하겠다. 시조를 자유시화 시키자는 말은 곧 화선지에 유화를 그리자는 말과 같다. 수묵이 스며들고 한번 붓이 지나 가면은 두 번 다시 첨필도 첨색도 할 수 없는 그 엷고 부드러운 화선지에다가 진덕진 물감을 마구 짓이기듯 그리는 유화를 그릴 수 있다고 생각한다면 그는 동양화와 서양화의 본질은커녕 그 개념마저 분간하지 못함이라 아니할 수 없다. 서양화는 그려 나가면서도 형태나 색조를 고쳐갈 수 있으나 동양화는 그것이 용납되지 않는 것이다. 동양화는 화필을 대는 출발이 바로 그 결말을 결정지우기 마련인 것이다. 그리고 동양화는 대개 하늘이라든지 물 같은 것은 그리려 하지 않는다. 여백이 곧 하늘이요 물이 된다는 생각이다. 시에 있어서도 이와 다를 바 없다.

시조는 자유시와는 달리 첫 개두가 벌써 종말을 약속해 버리며 되도록 표현을 집약해서 군덕지를 없이한 나머지는 여백으로 처리하여 여운을 살리도록 힘쓰지 않을 수 없는 것이다. 그렇기에 분명히 해 둘 것은 시조는 자유시와는 그 성격과 유형을 달리하는 독자적인 시형이란 것이다. 그러므로 시조는 시조로서 생명일 것이며 또한 그로써 족한 것이다. 오로지 문제는 시조다운 시조를 쓰도록 우리 모두가 힘껏 공부할 일이다.

그 다음으로는 조잡한 조어造語행위와 유행어휘의 질환들이다. 대개 시조의 현대 시화를 앞세우는 시조인 또는 시속時俗 전위적 자유시인들이 범하고 있는 저 혼자만이 알고 도취해 마지않는 조어들을 마구잡이로 만들어 쓰고 있음을 많이들 볼 수 있는데 조어란 출처의 근원에 연맥 되는 근거 아래서 객관적 수긍성이 내포되어 있어야만 비로소 이루어진다는 것을 알고 할 일이다. 조어가 어떻게 되는 것조차도 분별치 못하는 사람들이 악의 없이 저지르는 행패인지 모르겠으나 그 해독이 적지 않음에 탓하지 않을 수 없는 일이다. 그리고 표현에 적절하지 않음에도 불구하고 남들이 쓰는 유행되는 말이라고 해서 작품의 품위와 격조를 손상시켜 가면서까지 그를 쓰는 일이 없지 않는데 그런 말솜씨쯤을 부려 보아야 현대적으로 개명한 시조 작가라고 생각해서라면 착각도 이만저만이 아니다.

유행도 제격에 맞추어 해야만 할 일이지 그렇지 않으면 도리어 하나의 추태다. 시조라고 해서 갓을 쓰고 도포를 입으란 말은 결코 아니다. 그러나 시조는 자유시와는 그 몸 매무새와 몸짓이 다른만치 시속의 그 맘보바지인가 춋대바지인가는 아무래도 격에 맞지 않고 어울리지 못할 것만 같이 여겨진다. 쭉 곧지도 못한 활장 같은 다리에 그 궁둥이가 비집고 나올 것 같은 춋대바지를 입고는 재즈 소음에 맞춰 하반신을 뒤틀면서 트위스트 춤인가를 흔들고 추는 몰골이란 아무리 보아도 시조의 격은 아닐 것만 같은 일이다. 아무래도 우아한 아악의 가락에 맞추어서 어깨를 들고 상반신의 춤을 추는 풍류가 시조의 품위에 어울리지나 않을 것인지 모르겠다.

은근한 동양東洋의 아취雅趣

부생육기에 보면 여주인공 운芸이란 여인은 내일의 하루 동안 끓일 차茶를 한 잔분씩 엷고 깨끗한 적은 베주머니에 넣어서 저녁나절 뜰의 꽃들이 오물어 들기 전에 꽃들 속에 한 봉지씩 넣어 두었다가 다음날 이른 새벽이슬을 밟으며 그것들을 도로 거두어 챙겨서는 하루의 차를 끓였다는 것이다. 하룻밤 새 꽃의 품속에 안겨서 지낸 그 차에 꽃들의 향기가 젖어 들어서 있는 듯 없는 듯 풍기는 향기로운 차 ! 아니 그 차의 향기보다는 한결 더 향기로운 여인의 고운 마음씨의 향기 ! 이것이 동양의 맛이요, 향기요, 마음이요, 멋이요, 풍류이다. 서양 사람들은 아마 향료를 넣어서 마실 것이리라.

그들은 간단히 향료만 넣으면 손쉽고 도리어 그것이 더 향기가 짙어서 심리적이요 합리적이라 말할 것이며 필시 동양인이 비실용적인 바보성을 비웃을는지 모를 일이다. 수십 년 비바람이 길러서 이뤄놓은 정원 바윗돌의 이끼들을 지저분하다고 모조리 벗겨 내고서 흰 페인트 칠을 마구 칠해 버리는 아취를 모르는 그들이다.

어느 활弓의 명인이 쏘기만 하면 백발백중하여 한 번의 실수가 없는 신기神技인데 마침내는 새나 짐승 같은 표적을 택하지를 않고 초점 없는 창공에 다가 한 점 마음의 표적을 정해 그를 겨누어 보기만 하고는 화살을 당기는 일은 없었다는 얘기가 있다. 쏘면 어김이 없거늘 한번 겨누어 초점이 맞았으면 그로써 다 했다는 경지인 것이다. 실리와 합리만이 지상인 저들인지라 저들의 생각과 눈으로서는 얼마나 얼빠진 노릇이겠는가? 그러나 이 얼마나 높은 경지인가 이처럼 동양과 서양은 그 관觀이 다르다. 우리의 석굴암 석불의 조각과 희랍의 조각을 한번 비겨 보아도 이는 너무나 그 질을 달리하고 있음을 알 수 있는 일이다.

그 곳에서는 단단한 대리석재가 많이 나고 우리나라에서는 화강석재가 흔하다는 자연적인 조건의 탓도 있겠지만 저들의 조각은 지적이고 단단하고 매끄럽고 퉁겨내는 차가운 표현이고 석굴암의 석불은 거칠은 듯 하면서 부드럽고 스며들 듯 따스한 정감적인 표현이다. 그러나 그 점은 지知를 넘어선 정말 보살 같은 점이다. 주지主知를 바탕으로 한 구미적인 차거운 대리석재를 접착시킨 것이라 할 수 있는 우리나라의 현대시가 따스한 정감적인 화강석의 체질인 우리 국민들에게 아무리 구미 문명과 저들의 사고방식을 배워서 익혔다 하더라도 실감적으로 잘 받아들여지고 융합상생 될 것인지 약간의 의문이 없지 못할 일 같이 느껴진다.

그러므로 우리는 이미 본질처럼 굳어지다시피 한 정감적인 우리의 체질을 무턱대고 파괴하고 또는 말살하려하기 보다는 차라리 그 체질을 바탕으로 그 체질이 받아드릴 수 있고 소화시킬 수 있는 한도 내에서 저들 것을 저작咀嚼 섭취해야만 참으로 우리에게 보탬이 되는 영양소가 될 것이 아닌지 모르겠다. 더욱이 국민 모두를 대상으로 감안하지 않을 수 없는 국민시에 있어서랴.

국민시의 바탕위에선 시조의 현대 시화를 국민시와 시조의 본질에 대한 깊은 구명과 배려 없이 조급히 또는 함부로 경망할 수 없는 일로 생각한다. 그러면 우리는 동양 안에서의 한국적인 것이 무엇이며 어떤 것이겠는가?

한 말로 한다면 소박하면서 둔하지 않고 투박하면서 거칠지 않고 대범하면서 소홀치 않고 정갈하면서 차갑지 않고 섬세하면서 잣다랍지 않는, 말하자면 석굴암의 석불의 모습 같은 것이 아닐까 생각한다. 따라서 우리 시조는 저 석굴암 석불의 모습과 표정과 마음씨로 이루어져야 할 줄 믿는다.

우리 시조인을 두고 한 말은 아니지만 어느 평론가의 "요즈음 젊은 세대의 전위로 자처하는 사람들 가운데에는 모르는 것을 더 모르게 표현하려고 애쓰고 있다"고 한 말이 자주 나를 고소케 한다.

우리 시조는 늙은 세대라는 말을 비록 듣는 일이 있다손 치더라도 아는 것을 더 알기 쉽게 표현코저 힘써 보았으면 싶다.

-《여원女苑》, 1966년 6월호

편집자 주

그간 이 원고는 원전의 기록없이 정표년님 제공이라며 1982년 《시조문학》 봄호에 전재된 적 있었으나 마침내 원전을 찾아 다시 한 번 수록함으로써 선생의 시 정신을 기리고자 한다. 다만, 선생이 쓰신 특이한 표현들을 가급적 그대로 인용하였음을 밝혀둔다.

민족시가民族詩歌로서의 시조

수백 년 동안 우리의 선인들이 즐겨온 시조가 우리 시단에서 소외당하고 묵살되다시피 되고 있는 것이 지금의 실정이다. 이웃 나라인 일본에서는 우리 시조와 유형을 같이하는 단가短歌나 배구俳句-하이쿠 같은 것들이 민족시가로서 육성 발전되고 오히려 다른 것을 능가하는 범민족적 사랑 아래 창성昌盛을 이룩하고 있음을 생각할 때 외래의 것에 맹목에 가까우리만치 영합迎合 심취心醉하는 우리들의 사대적事大的 자세를 한번 스스로 비판해볼 만한 일이 아닌가 싶어지는 일이다. 우리의 시가로서 오랫동안 지녀오고 유일한 것이다시피 한 시조 하나를 제대로 살리고 가꾸지 못하면서 무슨 주체적 민족문학을 마련하고 꽃 피울 수 있다고 생각할 것인지 모를 일이다.

우리보다 앞선 외래문화는 물론 받아들여야만 하리라 믿는다. 나무의 접목接木에 무엇보다도 그 대목臺木이 실해야 되고 또 접목하는 나무끼리가 동질 내지 동화가능의 한계 내에서만 성취될 수 있음과 같은 일이기 때문이다. 그리고 한 민족문화가 그 민족에 끼치는 효능과 의의는 그 질의 우열여하優劣如何에서 보다 오히려 그 적성여부適性與否에 있지 않나 싶다. 구미歐美에 나간 우리나라 사람들의 고추장과 김치를 아쉬워함은 결코 그것이 저들 구미요리보다 질이나 맛이 좋아서라기보다는 다만 우리의 체질과 식성에 더 맞는 데에 기인한 것이다.

오늘의 우리나라 현대시가 비록 고도화되었다 하더라도 대다수 독자들은 오히려 소월의 서정시를 더 애송하고 있다는 사실도 이것을 웅변하는 것으로 여겨진다. 우리가 우리 본래의 체질적 기호嗜好를 벗어나서 구미적 기호에 동화하려면 오랜 세월을 두고 생활양식과 정신양상의 변천과정을 겪은 다음에서야 비로소 가능한 일이다. 그것도 어느 한계 내의 동화일 뿐 근본적인 변질은 지난한 일이며 또한 그 동화율은 그 민족의 주체성과 문화심도와 반비反比하는 것이다.

중국민족이 반식민지적 처지에 놓여 있었으면서도 그 동화율은 지극히 적고 완만하였던 사실로 보아 알 수 있는 일이다. 흔히 우리는 우리 것이 없는 양으로 말하고 있는 폐단弊端이 없지 않다. 물론 중국문화라든가 불교문화의 영향을 너무 많이 받아 왔었기 때문에 100% 우리 것으로 말할 수는 없기는 한 일이다. 그러나 그것은 비단 우리만의 일만이 아니라 어느 민족문화에도 다같이 적용되는 일로서 이미 자신에 체질화된 것은 자기 것이라 해도 무방한 일이라 믿는다.

우리 것, 즉 한국적이란 무엇이며 어떤 것인가를 알려면 동양의 체질을 파악해야 할 것이며 동양적인 것을 이해하는 데는 동양과 여러 가지로 대조적인 서양적인 것과 대비해 보는 일이 가장 손쉬운 일일 것으로 여겨진다. 우선 의식주부터 달라서 서양인들은 육식을 주로 하고 높은 곳에 주거하기를 즐기고 특히 여인들의 의상은 육감적인 노출에 힘씀에 비겨 우리는 채식위주요 아늑한 곳을 택하여 옷은 되도록 직선적인 노출을 삼가고는 은은한 연상적聯想的 효과를 노린다. 그러므로 사물을 보고 듣고 생각하는 것들이 절로 다를 수밖에 없는 일이다. 고층건물 의자에 앉아서 투명한 유리창을 통해 바라보는 하늘빛이나 들는 빗소리의 정취情趣와 온돌방 안석에 기대앉아 창호지의 장지문을 열고 보고 듣는 풍정이 같을 수는 없는 노릇이며 육식동물과 초식동물의 체질과 성품이 같을 수 있을 리 만무한 일이다. 이러한 이질성은 매사에 나타나고 있다. 종교에서만 하더라도 저들은 창시와 역정과 귀착歸着이 분명해야만 납득納得한다. 하나님이란 창조자가 설정되고 피조물인 인간의 행위가 규제되고 천국과 지옥이란 귀결이 직선적으로 명시되는데 비해서 불교에서는 특정의 창조자나 최종적 정착점이 없는 무한윤회無限輪廻를 바탕으로 삼고 있다. 금생今生의 나를 만든 자는 전생前生의 나요 내세來世의 나를 만드는 자도 또한 금생의 나로서 나는 무한 윤회한다는 것이다.

죽음에 대해서도 저들은 그 죽음이 불가피한 것임을 알면서도 끝까지 투쟁코저 한다. 그러나 동양에서는 그 불가피를 불가피로 받아들이고 그것을 달관순응達觀順應함으로서 극복하려 한다. 기독基督이나 소크라테스의 죽음이 공자孔子나 석가釋迦와 달랐던 까닭도 이러한 피차의 체질의 상이성相異性에 연유했는지도 모를 일이다. 다음으로 예술분야에도 그 이질성은 마찬가지다. 회화에 있어서 저들의 화포畵布는 견질堅質로서 형상이나 색조를 마음대로 다시 고쳐 개필改筆할 수 있으나 동양화의 화선지는 엷고 스며드는 질로서 한 번 붓을 대면 두 번 다시 개필할 수 없고 저들은 화폭 전면을 다 메우고 색조를 매우 중시하는 편이나 동양화는 되도록 여백餘白을 두려 하고 하늘이나 물은 잘 그리려 하질 않으며 색조에 대해서 등한等閑하리만치 담박하다. 그리고 미의 기준도 저들은 인간, 여인의 나체에 두는 데 비겨 동양화는 돌과 산수와 같은 자연에 치중하는 편이다. 조각에 있어서도 저들은 대리석 같은 단단하고 매끄러운 석질을 써서 그 작품들이 곱고 지적智的으로 차갑기만 한데 우리는 부드러운 화강석을 많이 취택取擇하여 비록 거칠되 석굴암의 석불처럼 감성적으로 부드러워서 피가 돌고 정이 스며들 듯 따스하다. 저들은 색정적인 하반신의 춤을 위주로 하고 우리나라는 상반신 춤의 격조와 멋을 즐긴다.

사슴의 하늘빛 눈망울과 같은, 옥색 모시치맛자락의 풍정어린 유선流線과 같은, 장지문 밖 설청雪晴의 처마 물소리 같은, 온돌방 아랫목의 안온한 따슴과 같은, 가을 초가지붕의 청초한 박꽃 같은, 화선지의 담백한 지질과 같은, 어깨춤의 격조로운 멋과 같은, 목불木佛의 듬듬한 얼굴 같은, 산수화의 여유로운 여백과 같은, 열무김치의 서러운 맛과 같은, 부처님의 미소로운 입 모양 같은, 석굴암 보살 석불의 스며드는 살결과 같은 것, 이것이 동양 속에 자란 한국의 지질이요 곧 또 시조의 바탕이 아닌가 싶다.

우리 시조가 남에 비해 적잖은 결함을 지녔는지 모르겠다. 비록 그렇다 하더라도 한 민족의 문화예술이 그 민족의 오랜 정서의 생활과 체험과 역사를 바탕해서 이룩된 것일진대 그 민족문학의 시조가 내포한 실함失陷의 죄책을 시조에 지워서 외면해버리는 일은 타당妥當한 일이라 할 수는 없을 것 같다. 오히려 민족전체가 나누어지고 한결 다듬어 가꾸어서 민족시조로서 빛을 내게 해야만 하지 않겠는가 여겨지는 일이다. 시조가 지니고 있는 현대 시문학으로서의 전진을 저해沮害하는 정형定型과 그에 따른 음악성은 암송暗誦을 전제하는 국민시가의 형태와 성질에 있어서는 도리어 불가결의 요소이기도 한 것이다. 만약에 한 민족에 있어서 범국민적 국민시가의 존재성과 그 효능성이 부인되지 않고 부인될 수 없는 일이라면 보다 더 시조에 대한 민족적 애호와 육성의 성의誠意 경주傾注가 있음직한 일이다.

세계적 명작으로 오래 남아 있고 또 남겨질 수 있는 작품은 모두 어느 민족의, 그리고 그 민족의 누구의 것임이 나타나 있는 것이었고 또 나타나야만 한다는 것이다. 그것은 내 것을 해야 한다는 말이다. 남의 흉내와 추종追從은 끝내 남의 아류로서 그칠 뿐 나를 성취할 수는 없는 일이다. 어느 민족이든 개인이든 각기 다 자기 나름의 특질과 재분才分을 지니고 있는 것이다. 모두가 다 제나름의 '나'를 연마研磨 발휘發揮함이 곧 세계문화예술의 다양적 일익一翼에 참여 귀헌貴獻하는 길이요 또한 그 찬란한 종합미 형성에 보탬할 수 있는 최선의 방법인 것이라 믿는다.

–효성여자대학보, 1968년 11월 1일자

추석 단상

—깨진 청자靑瓷 하늘이여

인간의 길은 고르지 못해도 자연의 걸음은 어김없이 또 다시 추석의 가절佳節을 맞이한다. 비뚤어지고 어긋난 씨알머리들이 이 나라를 절망의 수렁으로 몰아가도 산하는 그래도 돌아앉지 않고 어질게도 봄과 여름을 길러주고 마침내 가을을 맞아들여 들과 산에 오곡五穀과 백과百果들이 넘치게 하고 있다.

비록 현대적 기계의 문명은 없었어도 눈망울들에 살기殺氣의 핏발을 담고 발악하는 생존의 아귀다툼과 정치이념의 대립으로 말미암은 동족상잔同族相殘의 비정非情은 찾아볼 수 없던 선의善意의 그 시절, 다만 물 맑고 볕 따스고 흙 기름진 곳을 찾아 씨뿌리고 가꾸고 거두어서 이웃들 서로 반기며 자손들을 기르고 살아가던 그 티 없이 착한 선인들이 그 조선祖先의 은혜를 추모하여 새로 거둔 곡식과 열매로 받들어 제사해 온 이 흐뭇한 추석秋夕의 유풍遺風이 우리의 것이란 날로 잃어만 가고 부정否定되기만 하는 이날에까지 상기 남아 있다는 일이 무한 고맙게 여겨지기만 하는 일이다.

지방에 따라 또는 가풍들에 따라서 가을 절사節祀를 9월 9일의 중양절重陽節에 모시는 이도 많다.

우리나라 더구나 삼남지방의 기후로 보아서는 햇곡식과 햇과일이 온전히 익음을 기다린다면 추석에보다 오히려 중양절에 지내는 것이 한결 적합한 일일 법도 하다. 그러나 대개는 가윗날에 차례茶禮를 모시는 걸로 되어 있고 또한 흔히 지내고들 있다. 나도 이 가윗날에 차례를 모셔오고 있다. 해마다 이런 명절을 맞으면 흩어져 살던 집안들이 한 자리에 모이게 되는데 이 자리에 응당 와서 함께 즐겨야 할 사람이 모이지 못하고 항상 그 자리가 비어있는 듯하는 섭섭함에 마음이 아파지는 것이다.

국토양단國土兩斷으로 말미암은 이런 아픔을 겪음이 비단 나만의 일이 아니지 않겠는가? 일찍 나라를 빼앗기고 선영의 산하고토山河故土를 지켜내지 못하고는 남부여재男負女載하여 북녘의 이역異域으로 표류의 생을 영위치 않으면 안되었던 겨레가 얼마나 많았으며 8.15 광복을 맞았어도 미처 고향엔 돌아오지 못한 채 그 길이 막혀버린 시연들도 얼마나 많았겠는가? 그것이 20유 년이 지난 이날에도 트이기는커녕 점점 더 빙벽氷壁으로 굳어가기만 하는 듯하니 이 얼마나 절통한 노릇인가? 한 얼굴 강산이요 하나로 둥근 이 밤의 이 달을 한 피로 이어진 우리는 언제까지나 왜 이렇게 또 무엇 때문에 누구 때문에 단절斷絶되고만 있어야 하는 것인가? 아아, 깨어져 이 맞지 않는 청자靑瓷 하늘이여.

추석 대목을 노려 혈안血眼이던 상가도 적자가계赤字家計의 그늘졌던 서민들의 얼굴들도 그런대로 어젯밤을 금 그어서 제 나름의 결산들을 지은 듯, 거리마다 축제의 숨결 속에 어른들은 의관들을 갖추었고 아이들은 오색 고운 꽃밭을 이루고 있다. 지겹던 더위도 물러가고 물 맑고 하늘 높으며 미각味覺을 담은 구수한 바람은 비공鼻孔에 스며든다. 들국화 코스모스 곱게 밝은 산자락 비탈길의 저 흰 옷들은 필시 성묘省墓의 걸음들이리. 비록 우리 앞에 가난과 슬픔과 원통함이 내일로 기다려 있고 천재天災와 인재人災가 강토에 깔려있고 허리 잘린 국토의 생채기에 아픈 피가 흐르고 있을지라도 아아 착하게 살아가려는 겨레들이여! 그렇다, 이 날만은 이 하루만이라도 모든 것 다 잊고 활짝 주름살 펴고는 웃고 지내자꾸나.

한 때 대원군大院君의 세도가 한창 하늘을 찌를 듯 만장萬丈하던 때 한 구안具眼의 측근側近이 보다 더 찰 수 없는 이 중추仲秋의 만월滿月을 가리켜 "일년 열둘의 달에서 이 밤의 달이 가장 어렵다"라는 글을 읊어 간했다는 바로 그 중추월中秋月이 이 밤도 여일如一하게 하늘 높이 떠 있다. 대원군의 성쇠사盛衰事가 어찌 대원군만의 일이랴 싶어 곰곰이 쳐다보는 달은 그냥 찢어질 듯 밝기만 하다. 억만성군億萬星群과 더불어 저 교교한 달빛은 얼마나 메마르기 쉬운 우리 인간들의 정감과 꿈들을 부드럽게 다스려왔으며 곱게도 길러 주었던가? 〈아폴로〉여 저 우리들의 신비로운 꿈의 보배를 한갓 구멍투성이고 먼지 덮인 불모不毛의 잿빛 덩어리였다 말하지 마라. 일억 광년의 무변무량無邊無量한 은하계우주銀河系宇宙에서 다만 일광초一光秒 거리에 지나지 않은 달을 잠깐 인간의 발길이 더렵혀 보았다 해서 그것이 무슨 대단한 과학의 자랑일 것이며 보람이라 할 것인가? 가인佳人은 범하지 말 듯 저 달을 그냥 달로만 있게 하라.

-매일신문, 1969. 9. 26

첫 설음

날로 낙일落日을 보고
앉았는 소녀가 있어
오늘도 지나는 길
쳐다보는 창이 있어
유리만 알알이 탈뿐
열려있지 않았다

나에게 주어진 제題는 〈내가 가장 아끼는 작품〉이었다. 그러나 나에겐 아낄 만한 작품이라곤 없다. 다만 30년 동안을 마음 속에 자리잡고 떠나려 않으면서도 아직껏 작품을 이루지도 못하고 또한 차마 버릴 수도 없는, 마치 무슨 주어진 숙제 같은 것이 있을 뿐이다.

내가 스물한 살 때이니 지금으로부터 31년이나 전의 일이 된다. 그때 나는 일본 동경의 신전神田이란 마을에 셋방을 얻어 살면서 조석朝夕을 무슨 자선협회에선가 경영하는 아주 값이 싼 식당엘 다니며 사먹고 있었는데 그 식당으로 가자면 준하태駿河台라는 언덕배기를 지나가야만 되기에 저녁땐 대개 광야에서처럼 붉게 타는 도성都城의 낙조落照를 멀리 바라볼 수 있었던 것이다. 날마다 다니면서도 항시 시야가 트인 서

천 쪽만 눈이 가기 일수였었는데 하루는 무심히 실로 무심히 당시 문화주택들이 늘어선 반대편을 바라보았더니 나만한 소녀가 2층의 열린 창가에 앉아 멀리 낙일落日을 보고 있는 것이었다. 한창 낭만적인 꿈이 짙던 때라서였던지 퍽 인상적이었다.

그러나 그것뿐 별다른 생각이 있을 리 없었다. 다음 날도 그 시각쯤 그곳을 지나가게 되므로 쳐다보았더니 전날처럼 그 소녀가 낙조를 안고 앉아 있는 것이 아닌가. 다음 날도 또 그 다음 날도.

처음엔 의식적으로 쳐다보았지만 나중엔 나도 모르게 버릇이 되어버린 듯 그 곳을 지나게 되면 절로 쳐다보게끔 되어버렸고 그 때마다 그 소녀는 의례히 그 모양으로 앉아 있었고 나는 그저 한번 쳐다보곤 "또 있군!"하는 생각뿐이었다. 그러던 것이 하루는 언제나처럼 쳐다보는데 아나 창은 닫혀버리고 낙일을 받은 유리들만 알알이 타고 있을 뿐 그 소녀의 모습은 보이지 않는 것이다.

나는 그 소녀가 무엇을 하는 누구인지 또는 그 생김이 어떤지조차도 모를 뿐더러 그때까지 정말 여자란 친구로도 한 사람 사귀어본 일이 없던 나였던지라 연모의 심정 같은 것은 아예 있을 리 만무커늘 이 무슨 일인가? 준하태駿河台의 언덕이 자꾸만 아래로 아래로 끝없이 무너져 내려가는 것이 아닌가. 내 인생이 비로소 맛본 최초의 공허空虛! 눈을 감으면 아직도 나의 망막網膜에 그 날의 알알이 타던 그 유리창들의 붉은 빛깔이 찌지는 듯 따갑다.

「첫 설움」은 그 때 적어둔 시조다. 지금까지 30년을 두고두고 그 때의 심정을 표현해 보려고 애써왔으나 지금껏 영 되질 않는다. 내 평생 버리지 못하는 숙제나 앞으로 다행이 이 숙제가 마련된다면 내 정말 눈감아 서럽지 않을 것 같다.

–매일신문, 1963년 7월 일, 〈가장 아끼고 싶은 그 작품〉에서

편집자 주

선생이 밝힌 대로 21살 때면 1932년이 된다. 연보의 1930년 학업포기, 귀국을 고쳐야 한다. 또한 이 〈첫 설음〉은 선생의 첫 시조가 된다.

춘한春恨

은밀히 오솔길로 봄을 달래어 매화송이들이 잔뜩 물기를 배고 미소 짓고 있다. 노고지리들도 이내 잠들을 깨어 하늘 높이 봄 길을 티우리라. 비록 넉넉지 못한 뜰이나마 나는 봄만은 남 먼저 만져보려고 손질을 하기로 했다.

겨울동안 얼어붙었던 천지泉池에 물을 넣어 수련의 분盆을 담구고 목련, 장미, 모란, 연산홍, 수국, 라일락, 치자들의 〈북흙〉을 까주고 온실을 마련하지 못한 나의 가난의 소치를 억울하게도 저들이 짊어지고는, 온돌방 긴긴 응달 속에서 옥獄살이를 치른 화분들을 양지 바른 테라스에 옮겨 함뿍 물을 먹인 다음, 아직껏 썩어지지 못한 낙엽들이 지저분한 잔디밭을 말끔히 쓸고 보니, 마치 봄의 밀물이라도 밀어온 듯 온 집안이 갑자기 활짝 밝아지고 내 녹슬고 가난하던 마음 속도 무슨 〈크리닝〉이나 한 것처럼 사뭇 가볍고, 장자長者나처럼 넉넉하여, 잠깐 나이를 잊고 콧노래라도 흥얼거리고 싶고 절로 휘파람이나 나올 듯한 그런 심정이 든다.

60년래 처음이었다는 올 겨울의 모진 추위에도 오직 지열을 믿고 그 가늘한 뿌리들이 지심地心으로 파고들어, 또다시 이 봄을 이렇게 피어나는 생명의 소망, 이 얼마나 뼈저린 애정인가. 나는 한아름 자연의 은혜를 안고 앉아 아리아리 물기가 서린 먼 산들을 바라본다. 저 산 넘어 그 산 넘어 아물아물 이어졌을 조국의 산하들! 아득한 태고의 새벽, 먼 먼 조상들의 횃불 높이 든 그 푸른 목숨들이 이 아름다운 땅에 비로소 자리잡고 하늘에 제사祭祀하여 자손들을 심어신 지 오천 년, 이 강토疆土를 지키고 가꾸기에 얼마나 붉고 뜨거운 피와 사랑이 뿌려지고 쏟아졌을 것인가. 이렇게도 면면이 물려받은 이 소중한 강토가 허리를 짤리고, 이렇게도 맥맥脈脈히 피로 이어진 겨레들이 서로 등지고 살고 살아가야 함은 이 무슨 까닭이며 어이된 연유인가. 차라리 새와 짐승들은 막힘 없이 오가고, 꽃가루마저 바람결 따라 서로를 나들고 있으련만 오직 이 혈연血緣의 끼리 앞에서 차가운 얼음벽!

도리어 우리의 강토와 역사를 짓밟고 간 잊지 못할 그 원수와는 한자리 웃음의 술잔을 나누는 이 날에, 아아 삼팔선三八線이여! 피는 오히려 물보다도 연하다는 말인가.

두견이 운 자국가 피로 타는 진달래를
약산藥山 동태東台에도 이 봄 따라 피었으리
꽃가룬 나들련마는 촉도蜀道보다 먼 한 금

잊지 못할 원수와는 어느덧 한자리 술잔
종달이 봄을 틔워 하늘도 물이 도는데
물보다 진하단 핏줄을 갈라 막은 얼음벽

–대구대학신문, 1963년

낡은 '권위權威' 물러서라

언젠가 한일국교의 조기해결을 촉진시키기 위해 일본측에서 정상회담을 해보았으면 하는 태도를 표시했을 때, 이 대통령이 그 불필요성을 표명한 담화談話중에 "우리나라는 민주국가이기 때문에 지도자는 있을 수 있지만 지배자는 존재할 수 없다"라는 말의 뜻이 있었는 듯 기억한다.

지극히 합당한 말로서 우리나라에서는 아예 지배자가 있을 수 없다. 그러면 지도자란 어떤 위치를 말하는 것일 것인가? 아마 그것은 그 시간 그 입지에 처해서 그 민족 국가의 가장 최선의 방법을 조성하는 자를 지칭함이 아닌가 싶다. 그러므로 그 지도자란 것은 수시 가변성과 교체성을 내포하는 것으로써 어떤 특정적 인물로서 독점 고정될 수는 없는 일이요 또한 되어서는 일이 아닌가 한다. 어떤 특정적 지도자의 고정화는 항상 관념적 권위성과 독선적 맹종성을 파생하게 되어 자칫하면 그것을 하나의 영웅적 존재로 승격시키기 쉽고 나아가서는 독재성까지를 부여하여서 도리어 지배자화 시키기 일쑤이기 때문이다.

아직도 우리나라에서는 이미 과거화된 기성관념적 '권위'들이 지도자 행세를 하고있는 폐단을 적지 않게 볼 수 있다. 시대는 항상 앞으로만 전진하는 것이지 결코 촌분寸分도 정지 또는 후보後步하는 일은 없다고 믿는다.이 해부터는 부디 그 낡은 권위들은 적합한 자기 위치로 물러서고 새로운 시대들이 앞장을 섰으면 싶다. 그러면 우리나라가 얼마나 약동하는 희망에 맑을 것이겠는가?

-대구매일신문, 〈신년 제언〉,

문화 외식

요즈막 몇 해 동안에 민족자주성을 운위함을 많이 듣게 된다. 그러나 우리의 주변을 살펴보면 민족자주성을 찾고 가지려고 애쓰는 일이 과연 있는지 잘 모르겠다. 민족자주성을 가지고 지킨다는 것이 무조건 우리 것만을 또는 재래의 것만을 고정하는 것만이 아니고, 비록 남의 것이라 하더라도 우리 체질에 동화될 수 있는 좋은 것은 받아들여서 나의 영양으로 삼아야 함은 물론이다. 그러나 남의 것이 설사 좋다고 하더라도 우리 체질에 소화되어 우리를 성장의 길로 이끌어 줄 수 있는 것이어야만 하지, 그저 사대성事大性에 의한 맹목적 추세이어서는 안됨도 또한 물론이다. 그러려면 먼저 우리의 체질과 소화력을 충분히 파악해서 취사取捨를 해야만 하리라 믿는다.

우리가 아무리 매화가 되려 해도 감나무에는 매화가 접목되지를 않는 법이다. 매화가 되려면 그 매화의 접목이 가능한 살구나무쯤의 동질이나 유사질에 속하는 대목臺木이 되어야만 하는 것으로 알고 있다. 아주 이질적인 감나무로서는 아예 매화의 접목은 생각해서는 안 되는 노릇이다. 우리가 아무리 조급히 희구한다 하더라도 오랜 세월과 많은 단계와 역정을 거쳐서 우리의 체질을 접목가능의 대목으로까지 변이變移 또는 도달시키지 않으면 우리의 욕구가 어떻든 간에 매화가 되어 꽃

피고 열매맺을 수는 없는 일이다.

그러므로 우리는 무엇이든 취합함에 있어서 그것이 좋으냐 나쁘냐는 우열성優劣性을 생각하기에 앞서 보다 먼저 그것이 우리에게 맞느냐 어떠냐의 적응성 여부부터를 생각해야만 될 줄 안다.

우리나라 사람들이 구미歐美 등 외지에 가면 〈김치〉나 〈고추장〉이 간절하다는 말을 다들 한다. 그들의 음식이 영양가로나 미각에 있어서 우리의 〈김치〉와 〈고추장〉보다 못해서가 아닐 것이다. 다만 우리의 체질과 식성의 소치일 것이다.

응분의 필요한 단계와 과정을 거치지 않고 성급히 직수입한 이질적인 외래의 문화와 예술이 우리나라의 현실적 체질과 식성에 적응 동화되어 좋은 자양이 되었는지 생각해 봄직한 일이다.

급침急侵해 온 말초적 환락풍조가 우리사회를 다스릴 수 없는 퇴폐頹廢의 길을 걷게 했고 비록 구미歐美에서는 저 나름의 생성과정을 거쳤을 소위 전위적 문학예술이 무분별한 수입으로 말미암아 그렇지 못한 대다수의 우리 사람들의 이해와 공감을 얻지 못하고 도리어 소외당하고 있을뿐더러 일부 몰지각한 축들의 혼란마저 조성한 결과만 빚어냈다고 해도 과언이랄 수 없음이 사실이다.

혹시 이에 공감적응치 못함을 몽미夢迷의 소이라 할지 모르겠다. 그것은 자기 혼자가 오랜 구미생활을 한 나머지 〈김치〉나 〈고추장〉이 생각나지 않는다고 해서 그렇지 않은 많은 사람들을 허물함과 다를 바 없는 일이다. 물론 남의 선진성을 거부할 것은 아니다. 다만 분별과 단계를 감안함이 필요하다는 것뿐이다. 그리곤 우리에겐 가꾼 전통이라곤 없다고 말하는 문화 외식자에게, 찾지 않고 모르는 것과 없는 것과는 같은 것이 아니란 것을 말해두고도 싶다. 비열한 자기비하自己卑下보다는 차라리 교만에 가까워도 자긍自矜이 아쉽기만 하다.

–대구매일신문, 〈일요한담〉, 1967. 5. 28

작은 바로잡기

어릴 적에 어른들이 밤에 손톱을 깎으면 귀신이 난다든가 밤에 방이나 마루를 말짱히 쓸어내 버리면 손복을 한다고 한 말을 듣고는 밤에는 아예 손톱 발톱을 깎지 않고 밤늦게는 방이나 마루를 쓸어서 윗목에 모아두었다가 날이 밝은 뒤에야 쓸어내었던 것이다. 밤에 손톱을 깎는다고 해서 귀신이 날 리도 없고 방이나 마루를 밤에 깨끗이 쓸어낸다고 해서 손복을 할 까닭이 없는 일이다. 지금은 전등불이 낮이 무색하게끔 밝으니 말이지 옛날의 어둠침침한 관솔불이나 호롱불 아래서 예리한 칼로 손톱을 깎다간 잘못 베이기가 쉽고 방이나 마루를 말짱히 쓸어내버리면 적고 소중한 물건이 혹시 보이잖게 함께 쓸려나가 버릴까 해서 쓸어모아 두었다가 다음날 밝은 아침 잘 살펴본 뒤에 내버리는 선인들의 알뜰한 가르침이었을 따름이다.

지금에야 밤이 낮과 다를 바 없이 불이 밝고 더구나 칼이 아닌 안전한 〈손톱깎기〉로 깎게 되니 아예 베일 리 없을뿐더러 어느 누구가 구질하게스리 방 마루를 윗목에 쓸어모아 둘 것이겠는가. 비단 사람만이 아니라 동물이나 식물이나 모든 생물은 그가 처해 있는 환경과 조건의 변화에 따라 부단히 변화하고 또 그에 적응해야만 하는 것으로 알고 있다. 그런데 우리네가 조상의 제사를 모실 때 보면 전등이 밝게 켜져 있음에도 또 제상에다 촛불을 켜는가 하면 결혼 예식장에 가보면 밝은 대낮에도 여러 자루의 촛불이 켜져 있음을 본다.

원래 촛불을 켜는 것은 어둠을 밝히고자 했음이지 하나의 장식으로 하고자 하진 않았을 것으로 생각한다. 이 촛불이 조명의 구실을 떠나서 이젠 하나의 분위기 조성의 몫을 하는 것으로 변한 것 같다. 그러나 엄숙하다던가 경건하다던가 하는 분위기는 그 정신가짐과 몸가짐에 있는 것이지 형식과 치레를 꾸밈에 달린 것은 아니란 것쯤은 상식 이전이 아닐까 싶다.

결혼식장의 말이 난김에 이야긴데 기분이나 분위기를 촛불을 켜면서까지 살리려 한다면 결혼식장에 어린애들을 데리고와서는 울리거나 시끄럽게 하고 또는 신랑 신부의 첫 길을 깨끗이 걷게스리 소위 〈꽃길〉에 깔아둔 흰 천을 애들이 흙발로 왔다갔다하여 더럽히는 것을 그냥 버려둠은 무슨 까닭인지 물어보고 싶기만 한 일이다. 도대체 남의 집을 방문할 때나 무슨 식장이나 영화관, 음악회 같은 데에 어쩌자고 어린애들을 데리고 가서 남의 집을 어지럽게 하고 모임들을 엉망으로 만드는지 모르기만 할 일이다. 내 자식 내가 귀하다고 남도 모두 귀해 할 줄로 알고 또 그렇게 바란다는 것은 이야말로 뜸이 좀 덜든 사람이라 아니할 수 없을성싶다. 우리 현실에는 더 심각하고 큰 착각과 모순들이 많은데 하필이면 그런 자질구레한 이야기냐고 할 분도 있을지 모르겠다.

그러나 큰 강물도 실낱같은 줄기물에 근원했고 엄청난 명중오차命中誤差도 첫 조준의 몇 천 분의 일'밀리'의 오차에서 비롯하는 것이 아닌가. 우리는 가장 주변적이고 작고 손쉽게 고칠 수 있는 시점에서부터 바로잡아가야만 하리라 믿는다. 시점의 오차를 덮어두고 그 결과된 바만을 시정하기란 어려운 일이기 때문이다. 독일 국민들의 높은 도의는 접은 양산을 가로 들지 않는 데서 비롯했다고 들었다. 이웃인 일본에서도 연전에 '적은 바로잡기회'의 운동이 국민들간에 제창되었다는 말을 들은 적이 있다.

우리나라에서도 해볼 만한 일인성싶다.

-대구매일신문, 〈일요한담〉, 1967. 7. 2

혼魂의 경연競演

아름답다는 것은 참으로 좋은 것이다. 미美는 미 자체에게도 지극히 은총이겠지만 미에 접하고 바라보는 일도 또한 즐겁고 은혜로운 일이다. 너무 치우친 말일지 모르겠으나 미보다 더한 소중한 것이 달리 또 있을 성싶지 않다. 어쩌면 미는 선善 이상의 것이 아닐까도 여겨진다. 미에 접했을 때 즐거움을 느끼지 않을 사람이 어데 있을 것이며 마음 악해질 사람이 누구겠는가? 그러므로 미인은 다만 아름답다는 그것만으로도 능히 값있는 것이며 또 우리 사회에 크나큰 공헌을 하고 있는 것이라 생각된다. 이렇게 미가 우리들에게 즐거움을 주는 반면 그 만큼 추醜는 불쾌不快를 갖게 하기 때문에 미는 되도록 많이 표출시켜야 만하고 추는 되도록 감추어서 드러내지 않게스리 힘쓰는 것이 자신을 위해서는 물론이요 남과 사회를 위하는 길일 줄로 안다. 우리는 마땅히 남에게 즐거움을 주려고 힘써야 할 것이요 불쾌를 주는 일은 아예 삼가야만 할 것이기 때문이다.

그럼에도 불구하고 요즘은 무슨 고약한 유행인지 길거리에 나서면 마치 추의 경연행렬競演行列을 보는 것 같다. 미를 오히려 생명보다 더 소중히 여긴다는 여인들의 의상이나 화장들이 무슨 도깨비처럼 우리에게 미의 즐거움을 안겨주기보다는 추의 불쾌를 가져다주는 일이 더 많은 것 같다. 그것도 스스로 추를 자작하고 그를 과시하는 데는 도무지 이해가 가질 않는 일이다. 자기의 키나 몸매라든가 얼굴과 이목구비의 생김새나 피부빛 등의 본바탕을 잘 알아서 그것을 미적으로 더 효과 있게 살리고 조화시키는 것이 의상과 화장의 상식이요 원리인 줄 안다.

가정부인들의 옷감들이 자꾸만 잡스러워져감도 안타까운 일이지만 일부 양장여인들의 주먹만한 얼굴 생김에 바구니 같은 머리를 하고 짧고 굵은 다리에 미니 스카트인가를 입고는 눈시울에 깜정 테를 그려 생선 눈알 같은 눈을 치켜 뜨고 껌을 쩍쩍 씹는 몰골은 아무래도 추치고는 일등급이 아닐까 싶다.

그도 제멋이라 할지 모르겠으나 혼자만이 사는 세상이 아닌 이상엔 남에게 추의 불쾌를 주어도 좋은 자유는 없는 일이다. 난잡과 화려는 다르고 기괴奇怪와 새로움과는 같지 않다.

가뜩이나 언짢은 판국에 제발 자신에게도 남에게도 손해損害만인 그 추의 경연과 과시만은 말아주었으면 싶은 일이다.

-대구매일신문, 〈에티켓 · 룸〉, 1968. 2. 21

04 이호우 작품론

이호우론

—시조사적 위치를 겸하여

김 제 현 | 시인, 경기대 교수

1

현대시조現代時調는 가람과 노산의 혁신성革新性과 현대성現代性을 기반基盤으로 각기 특색을 지니며 발전하여 왔다.

조용한 관조세계觀照世界와 세련된 감각感覺의 혁신적革新的 풍격風格을 지닌 가람과 동양적東洋的 허무虛無와 시대적時代的 우수憂愁를 주조主調로 한 노산의 서정세계抒情世界가 병진竝進하면서 1920년대一九二〇年代 이후 시조문학에 지대한 영향력을 미치고 있었다.

1930년대一九三〇年代 후반後半(1939一九三九) 이호우에 이르러 인생파적人生派的 감각感覺이 사실적 요소를 혼융하며 시조문학時調文學에 있어 생명의 의미意志를 의미망으로 한 관념적觀念的 낭만주의 세계世界가 개척되었다.

한국시韓國詩(문학文學)사史에 있어서 낭만주의의 문학은 「백조白潮」를 중심으로 한 1920一九二〇년대 낭만적 문학으로부터 비롯된다. 그러나 이 시대時代의 낭만주의는 "부정확한 일종의 낭만적浪漫的 조류潮流"(조연현저趙演鉉著. 《한국현대문학사韓國現代文學史》 일부一部)에 지나지 않는 것이다. 문덕수文德守씨가 지적한 바와 같이 「백조白潮」 시대時代의 문학이 자각적自覺的 사조思潮로서의 근대적近代的 낭만주의자가 아니라면 한국 근대적近代的 의미의 낭만주의 자각自覺이 유치환柳致環, 서정주徐廷柱의 시에 이르러 완성되었다는 견해는 타당한 것이라 본다.

시조문학時調文學에 있어서는 가람과 노산 그리고 조운曺雲의 조촐한 서정과 감각에서 낭만주의적 성격(요소)을 발견할 수 있다. 그러나 그들에 공유된 (각기 다른 특징을 가지고 있지만) 낭만주의는 엄격한 의미에서 낭만적이었으며, 근대적近代的 사조思潮로서의 자각적自覺的 낭만주의는 이호우, 김상옥金相沃에 이르러 그 의의意義를 찾아볼 수 있게 된다. 이호우 시조時調의 특성特性을 관념적觀念的 낭만주의浪漫主義로 요약한 것도 이러한 까닭에서이다.

2

무릇 정치政治, 경제經濟, 사회社會, 문화文化 등 모든 사조思潮가 시대時代와 영합치 않는 것이 없듯이 시조時調 또한 시대時代의 산물産物이다.

이호우의 초기작初期作 시기時期는 일제하日帝下의 식민지植民地 시대時代였고 시대적時代的 분위기는 다분히 감상적 낭만주의 사상思想을 배양하기에 적합한 시기時期였다.

그러나 이호우의 시조時調가 전대前代 일반적一般的 작풍作風에 혼융되지 않고 인간人間의 의지意志를 발견하여 전개한 것만으로도 육당, 가람, 노산과 다른 특징적일 수 있는 것이었다.

근대近代의 시기時期는 인간성을 유린하고 왜곡된 방향으로 유도되고 있었으며 사회질서와 생활체제는 인간人間 본래本來의 사명使命을 상실케해가고 있었다. 다시 말하면 일제하日帝下의 한민족韓民族은 인간생명

人間生命의 자율성自律性과 인간정신人間精神의 자각自覺에 감당할 수 없는 저항을 받았던 것도 한 시대時代의 비극悲劇이 아닐 수 없었다. 이 시인詩人에게서도 예외일 수 없이 자연自然에 의탁한 시편詩篇들과 만나게 된다.

낙엽 속에 다람쥐 도토리 찾는 저녁
외딴 산마을은 나그네도 드물던가
낯설은 나의 얼굴을 친구처럼 반기네.

흙내음 담배연기 몽롱히 뜸드는 방
시룽밑 한구석에 질항아리 술은 익고
늙은이 손자를 업어 굳은 허리 펴진다.
-〈산山마을〉 1一. 3 三

송화松花가루 나리는 황혼黃昏 강을 따라 굽은 길을
어슬렁 어슬렁 누렁이 멀리 간다
그 무슨 기약 있으랴 정이 더욱 간절타.

산山마을 농사집이 끼닌들 옮았으랴
육중한 몸인지라 채질도 심했건만
큼직한 너의 눈에는 아무 탓도 없구나.

너랑 간 밭에 봄보리가 살붓는데

건우어 찧을제면 너 생각을 어일꺼나
다행히 어진 집에서 털이 날로 곱거라.
—〈매우賣牛〉 전全

이호우李鎬雨의 자연自然은 향토색鄕土色이 짙거나 감상에 빠져있지 않다. 정情(인정人情)에 많은 관심을 기울이고 있는 〈산山마을〉〈매우賣牛〉의 간접적 시츄에이션의 구성은 직접적인 호소에 따르는 자연발생적 감정표출을 제어함으로써 일반적 감정 속에 용해되고 있다. 그의 리얼리틱한 문학정신文學精神은 지성적知性的 냉정을 기하고 있기 때문에 단순한 감정투입感情投入이나 퇴폐적 감상적 서정抒情에 떨어지지 않고 대상황對狀況의 항체의식抗體意識으로서 일시一時 자연自然에 머물고 있는 것이다. 때문에 이 시인詩人은 순수純粹를 표방하여 자연自然에 귀의하거나 예술지상주의藝術至上主義의 베일 속에 숨으려 하지도 않는다.

그 눈물 고인 눈으로 순아 보질 말라
미움이 사랑을 앞선 이 각박한 거리에서
꽃같이 살아보자고 아아 살아보자고

욕辱이 조상祖上에 이르러도 깨달을 줄 모르는 무리
차라리 남이었다면, 피를 이은 겨레여
오히려 돌아앉지 않은 강산江山이 눈물겹다.

벗아 너마자 미치고 외로선 바람벌에

찢어진 꿈의 기폭인양 날리는 옷자락
더불어 미쳐보지 못함이 내 도리어 섧구나.

단 하나인 목숨과 목숨 바쳤음도 남았음도
오직 조국祖國의 밝음을 기약함에 아니던가
일찌기 믿음 아래 가신 이는 복福되기도 하여라.
—〈바람벌〉 전全

표제가 상징하고 있듯이 이 시조時調는 삭막한 조국祖國을 환유적으로 표현하는 작품이다. 그(민족民族)가 처한 상황 속의 의지意志(시정신詩精神)가 〈미움이 사랑을 앞선 이 각박한 거리에서〉 분노를 느끼지만 〈더불어 미쳐보지 못함이 내 도리어 섧구나〉와 같이 체념할 수밖에 없는 대상황의식對狀況意識을 〈일찌기 믿음 아래 가신 이는 복福되기도 했어라〉고 온건히 표현되고 있다. 여기에 선택된 소재素材(물상物象)에는 〈눈물 고인 눈〉 〈각박한 거리〉 〈눈물겨운 江山〉 〈찢어진 꿈〉 〈날리는 옷자락〉 〈바쳐진 목숨〉 등 비극이 서려 있다. 그러나 노산적 영탄이나 감상적 서정보다는 순수한 객관적客觀的 세계世界(현실現實)를 조명照明함으로써 인간생명人間生命의 자율성自律性과 인간人間(시인詩人)정신情神의 자각自覺을 리얼하게 보여주고 있다.

차라리 절망絕望을 배워
바위 앞에 섰습니다.

무수한 주름살 위에
비가 오고 바람이 붑니다.

바위도 세월이 아픈가
또 하나 금이 갑니다.
―〈바위 앞에서〉(금) 전全

시인의 생명生命에 대한 자각自覺은 시인詩人의 의지意志를 동반하고 있다. 차라리 절망絕望을 배우려는 의도가 〈바람벌〉의 상황 속에서 닦아지고 연속되는 시간은 신고辛苦의 비와 바람으로 공간空間에 투영되고 있다. 따라서 바위(육신肉身)에 내리는 비와 바람은 단순한 기후적氣候的 현상現象이 아니라 생명生命(의지意志)의 처절한 내적투쟁內的鬪爭을 야기시키는 조건을 의미하며 변증법적 대립의 직감直感으로서의 〈금〉이며 생명生命의 내적內的 성장成長의 과정이기도 하다. 따라서 그가 바위 앞에서 배우는 생명生命의 의지意志는 연속적連續的(영속적永續的) 차원次元의 과정에서 이해되어야 할 것이다.

저리도 넓은 하늘
어딘들 못 사리오

이리도 좁은 하늘
어디서 살으리오

수유須臾의 목숨을 안고
내 우러러 섰도다.
—〈목숨〉 전全

영원한 시간 가운데 영위營爲되는 목숨이 차지하는 공간은 넓을 수도 또 좁을 수도 있다. 그러나 한 인간人間에 허여된 시간은 수유須臾에 지나지 않다고 실감한 시인詩人은 〈영위營爲〉에서 허무虛無를 터득하며 만상萬相에 연민의 정情을 느끼고 있다.

채 맞아 쓰러진 파리 바시시 일어난다
미미한 벌레인들 생명이 다르리오
홀연히 애처로움에 채를 던져버렸다.

남을 남으로 해 나를 달리하였도다
일만一萬살음이 모두 〈내〉 아닌가
햇빛이 선뜻 창窓에 밝으며 낮닭소리 들린다.
—〈지일遲日〉 전全

이렇듯 생명을 존중하는 시인의 태도는 인생의 구도적인 사랑에서 비롯된다. 그리고 그의 생명감각은 차라리 신앙적이라 할 수 있다.

열어 온 창窓들이 닫쳐 하늘과 내가 막혔네
유명幽明을 갈라선 병풍屛風, 그와 같은 먼 먼 거리

종잇장 한 겹에 가려 엇갈려간 너와 나.
–〈청추聽秋〉 4四

아무 것도 아무 것도 없는 그저 납빛 안개
광음光陰도 범犯하지 못하는 무량역층無量力層에 나는 있다
진실로 이 꿈 아닌 꿈아 다하도록 깨지 말라.
–〈술〉 4四

이호우의 시조들은 일제라는 암울한 시대를 배경으로 하고 있고 여기서 경영되고 있는 밤 역시 일제의 어두운 밤이다. 〈경야經夜〉에서 그의 시정신詩精神(시세계詩世界)이 불교사상佛教思想 쪽으로 경도되고 있으며 집요하게 자아自我를 추구하고 있음을 볼 수 있다. 생명生命은 시간時間의 한 순간(현세現世)을 딛고 삶을 긍정하며 내세來世의 연속을 내포하고 있는 것이다. 생명生命을 긍정한 현실이란 현실을 초월한 영속적永續的 현실現實로 이전移轉되었을 때 당위성當爲性을 갖는다. 생내적生來的인 그의 고독孤獨은 〈바위 앞에서〉 절망을 배우고 욕구불만의 현상現狀 속에서 의지意志를 발견하여 영원한 시간 속으로 자아自我를 투사하고 있는 것이다. 이러한 의지意志와 사상체계思想體系는 짐멜의 생生의 철학哲學에서도 찾아진다.

"의지意志를 우리의 마음의 본질本質로 하는 설說에 있어서 심적心的 존재存在는 현재現在의 일점一點을 뛰어넘어서 살며 그 가운데 미래未來가 현실現實임을 표현하고 있음에 불과하다. 단순한 소망이라면 아직도 살지 않은 먼 미래未來를 향하여도 좋을 것이다. 그러나 현실現實의 의

지意志는 직접적으로 현재와 미래의 대립을 초극超克하고 있다. 현재現在 의지意志하고 있는 순간 안에 있어서 우리들은 이미 순간을 뛰어넘고 있다." (〈생生의 철학哲學〉 제1장第一章 G. 짐멜)는 것이 그것이다.

그리고 H . 베르그송의 시간은 그대로 생명生命이요 생명生命은 그대로 시간이다. 이러한 생生의 철학적哲學的 의지意志 그 광대한 관념세계를 시화詩化하여 그 절정을 보이고 있는 작품은 〈개화開花〉라고 할 수 있다.

꽃이 피네 한 잎 한 잎
한 하늘이 열리고 있네

마침내 남은 한 잎이
마지막 떨고 있는 고비

바람도 햇볕도 숨을 죽이네
나도 아려 눈을 감네.
—〈개화開花〉 전全

생명의 탄생을 경이롭게 노래하고 있는 〈개화〉다. 이와 같은 生에 대한 경외심과 생명 감각이 관념적觀念的 낭만시조浪漫時調의 한 통로通路를 열어주면서 고운하고 깊은 관조의 세계를 보여주고 있다.

한편, 이러한 작품세계作品世界와는 다른 계열의 일련一聯의 현실 참여 시조들은 그 시정신의 치열성과 함께 따뜻한 인간애 사상을 감동적으로 전해준다.

무상無常을 타이르는
가을밤 비소린데

서로 죽임을 앞서려
뿌리는 방사능진放射能塵

두어도 백년百年을 채 못할
네가 내가 아닌가.
–〈청우聽雨〉 전全

방향감각方向感覺을 잃고
헤매다간 숨지는 거북

끝내 깨일 리 없는
알을 품는 갈매기들

자꾸만 그 〈비키니〉섬이
겹쳐 뵈는 산하山河여.
–〈비키니섬〉 전全

위의 예는 전쟁戰爭에 대한 아惡와 현대現代 메카니즘을 고발告發하고 있는 〈청우聽雨〉와 원폭 실험의 반인간적 행위를 고발하고 있는 〈비키니섬〉이다. 비키니섬은 원폭을 실험했던 곳이다. 그 실험의 결과로 모든 생명들이 죽어가고 있다. 방사능진에 의한 생명말살행위에 대한 고발은 시인의 사명이었으며 그의 시편들은 부정적인 인간정신과 현실에 대해서 강한 저항의식을 보인다.

무슨 업연業緣이기
먼 남의 골육전骨肉戰을

생때같은 목숨값에
아 던져진 삼불군표三弗軍票여

그래도 조국祖國의 하늘이 고와
그 못 감고 갔을 눈.
–〈삼불야三弗也〉 전全

〈삼불야三弗也〉, 〈또다시 새해는 오는가〉 등 일련의 작품들은 휴머니즘을 바탕으로 한 현실現實비판의 준엄한 시정신詩精神이 그것이다. 이 같은 후기의 작품들은 역사의식을 지닌 작품들로서 현대시조의 새로운 경지를 열어준 것이다.

그러나 이호우의 시세계詩世界는 〈달밤〉으로부터 시작되어 〈개화開花〉에 이르는 서정세계가 그의 시적본령本領이라고 할 수 있으며 현대시조의 커다란 성과라 아니 할 수 없다.

3

현대시조現代時調가 그 외형율外形律에 의존한 시기는 이미 지났다. 관념과 모랄의 목적의식目的意識, 자연발생적自然發生的 감정표출感情表出 이후의 감상적感傷的 낭만주의 서정 내지는 관조세계의 편력에서 생활체험을 예술체험으로 바꾸고 시인의 미적美的 체험을 재구성하는 시조의 사상성思想性에 대변혁大變革을 꾀하지 않을 수 없었다. 그러면 이호우 이전까지 의미意味의 세계世界는 어떻게 변모 발전해왔는가.

먼저 육당의 〈백팔번뇌百八煩惱〉을 보자.

위하고 위한 구슬
싸고 다시 싸노메라

때묻고 이빠짐을
님은 아니 탓하셔도

바칠제 성하옵도록
나는 애써 가왜라.
-〈궁거워〉 기일基一

이와 같은 내용상의 의미는 과도적過渡的 작풍作風의 사상思想(조선주의朝鮮主義)전개展開에 지나지 않는다. 따라서 엄격한 의미의 현대시조는 가람과 노산의 시조로부터 시작된다고 보는 것이 타당할 것이다. 이들은 각기 경향을 달리하고 있으나 1930년대一九三〇年代의 시대時代

를 배경으로 등장한 시인詩人들이다. 가람은 한국시조에 있어 감각적感覺的 시어詩語와 리얼리티를 최초로 보여준 시인이었다. 그리고 〈계곡溪谷〉 〈아娥 산山〉 〈난초蘭草〉 등은 그의 시세계詩世界를 단적으로 보여주는 작품이다.

봉머리 일던 구름 바람에 다 날리고
바위에 새긴 글발 메이고 이지러지고
다만이 흐르는 물이 궂지 아니하도다.
–〈박연폭포朴淵瀑布〉 3三

〈박연폭포〉에서 시인은 자연을 직관하고 있다. 중간매개체中間媒介體를 통하지 않은 인지작용認識作用은 자연自然과 인생의 총혜總慧로써 자연에 접근하며 그 시정신은 관조세계를 편력하게 마련이다. 한편 노산은 자연을 시적 오브제로 선택하여 서정적 세계를 노래하고 있음을 볼 수 있다.

내 고향 남쪽 바다 그 파란물 눈에 보이네
꿈엔들 잊으리오 그 잔잔한 고향바다
지금도 그 물새들 날으리 가고파라 가고파.
–〈가고파〉 一

이 작품에 등장한 자연은 모두 인사人事를 배경背景하여 나타나 있다. 동양적東洋的 무상감無常感을 주조主調로 하여 이루어진 〈천지송天地頌〉

〈분수〉 등 일련의 노산 시조는 그대로 감상주의적 서정시인임을 말해 주고 있다.

가람과 노산이 30년대三〇年代를 대표하는 시인詩人이라면, 이호우는 이들과는 다른 세계 즉 생명의지生命意志를 주제로 한 관념세계를 예술적 세계로 승화시킴으로써 지금까지의 사상성思想性에 일대변혁一大變革을 가져온 시인이라고 할 수 있다.

배앝아도 배앝아도
돌아드는 물결을 타고
어느새 가슴깊이
자리잡은 한개 모래알
삭이려 감싸은 고혈膏血의
구슬토록 앓음이여
—〈진주眞珠〉 전全

삶이란 애달픈 소모消耗
영위營爲의 시점始點을 찾아
오직 바람에 맡겨
허공虛空에 날려진 실끝
겨우 그 이룬 거미줄들의
무심히도 걷힘이여.
—〈영위營爲〉 Ⅱ

〈균열龜烈〉(금) 등 인생파적人生派的 일면一面을 보여주는 감각感覺과 사상성思想性은 전술前述한 바 생生의 의지意志 내지는 철학적哲學的 관념觀念을 시화詩化한 낭만적 관념(논리論理)시조時調의 한 영역을 개척한 것이다.

이 무렵의 시인詩人으로 김상옥金相沃 또한 간과看過할 수 없는 시인이다.

몸짓만 사리어도 흔들리는 구슬소리
옷자락 겹친 속에 살결이 꾀비치고
도도록 내민 젖가슴 숨을 고이 쉬도다.
—〈십일면관음十一面觀音〉

〈집오리〉〈청자부靑磁賦〉〈백자부白磁賦〉 등 상징적 수법과 순화된 서정세계를 보여준 김상옥金相沃과 더불어 1940년대一九四○年代를 대표하는 이호우의 영향은 이후의 시조시인들에 많은 영향을 미치고 있음을 부인할 수 없다.

우리는 지난날 주어진 형태形態 안에서의 미의 세계에 고정되어 한발짝도 더 발전하지 못하였다. 이러한 경향은 낡은 〈타입〉의 예술태도藝術態度라고 단정할 수는 없더라도 전통주의가 순수성과 더불어 현실 속에 묻혀가고 있음을 암시한다. 적어도 문학의 한 분야를 맡고 있는 현대시조의 가치는 현대라는 시대의식과 현대의 시대 내부에 일어나고 있는 우리들 내부세계를 공간상에 부각시키는 데서 일단 논의되어야 할 것이다. 그 논의의 중심에 이호우 시인이 놓이며 시조사적 위상 또한 여기에 있다 하겠다. 시조형태의 특수성에 비추어 상징적象徵的 수법手法도 불가피하지만 시정詩情을 사물화事物化시켜나가는 데는 의미의 언어를 세련된 감각어感覺語의 구사와 언어가 가진 의미단위를 확충시켜 진로를 타개해야 하리라 믿는다.

이호우의 시조형태時調形態에서는 앞의 여러 가지 문제점을 발견할 수 있지만 따로 상론詳論할 기회로 미루고 이로써 대代코자 한다.

삼가 고인故人의 명복冥福을 빈다.

편집자 주

이 원고는 이호우 선생이 작고한 1970년 3월《현대문학》에 실린 특집으로 이호우 시조의 온전한 이해를 돕기 위하여 당시의 일반적인 한자병행 표기방식을 그대로 원용하여 전재하였다.

김제현

1939년 전남 장흥 출생. 1960년 조선일보 신춘문예 당선. 1963년 경기대학교 국어국문학과 졸업. 1990년 경희대학교 대학원 졸업(문학박사). 가람시조문학상, 중앙시조대상, 조연현문학상(평론) 등 수상. 경기대학교 교육대학원장 역임. 가람기념사업회 회장.

현대시조의 창조적 계승자 이호우

민 병 도 | 시인, 이호우 · 이영도문학기념회 회장

1. 이호우의 생애와 인간

이호우李鎬雨는 호마저도 爾豪愚(이호우: 너 호방하고도 어리석어라)로 1912년 3월 2일(음력) 경북 청도군 대성면 내호리 259번지(현재는 청도군 청도읍 유호리)에서 아버지 우강 경주 이씨 종수又岡 李鍾洙와 어머니 구봉래具鳳來 사이의 2남 2녀 가운데 차남으로 태어났다. 의명학당義明學堂이라는 사립학교를 세운 할아버지 혜강 이규현兮岡 李圭現은 고명한 한학자이자 선비였고, 여러 고을의 군수를 지낸 아버지 또한 서화에 능하여 이호우는 어려서부터 유교적 가풍과 예술적 전통이 조화롭게 구비된 환경에서 자라게 되었다.

1923년 월반越班으로 밀양공립보통학교를 졸업하고 이듬해 경성 제일고등보통학교에 입학하였으나 4학년 되던 때 맏형 석우錫雨의 죽음에 충격을 받아 끝내는 신경쇠약으로 학업을 포기하게 된다. 고향으로 내려와 1년여를 요양하다가 다음해 일본 동경예술대학에 입학하게 된다. 그러나 여기서도 신경쇠약증세에서 벗어나지 못하고 위장병까지 얻게 되자 다시 학업을 포기하고 귀국하지 않을 수 없었다.

고향에 돌아온 이호우는 허약해진 건강을 회복시키는 외에 전통적 서정을 익히며 문학과 예술지향의 젊은 날을 보내게 되는데 이 시기가 자신을 되돌아보며 비판정신으로 거듭나게 한 시간들이 되었다. 그 원인이야 여러 가지가 있겠지만 직접적인 단초는 아버지와의 마찰이 아니었나 생각된다.

그도 그럴 것이 원래 이호우의 증조부는 을사조약이 체결되자 승복으로 갈아입고 뒷산으로 올라가 암자大蕓庵를 지어 속세를 등졌고 조부 또한 점령군의 치하에서 벼슬을 마다하고 농사일로 생계를 꾸리는 한편 사립학교를 지어 농촌 아이들에게 신학문을 가르치는데 심혈을 기울인 반일反日의 집안이었다. 그에 반해 부친은 "조상의 뜻을 저버리고 창피스럽게도 일제 때 관직을 맡아 골을 옮기며, 소실을 거느리고 타향을 돌았기 때문에 삼남매는 아버지 여원 시절을 자"[1] *註1) 이영도, 〈망국의 승복〉, 한국문학 (1975.7)*랄 수밖에 없었던 것이다. 그러니 부친에 대한 반감으로부터 비롯된 그의 시대와 시대의 불의를 향한 저항정신은 지극히 자연스럽게 체질화되었다고 보아진다.

그런 가운데서도 그는 1934년 경북 칠곡의 김해 김씨 진희晋熙의 영애 순남順南과 결혼하여 이듬해 장남 상붕相鵬을 낳았으며 이 무렵부터 본격적인 시조공부가 시작되었다. 1936년에는 작품 「영춘송迎春頌」으로 동아일보 신춘문예에 당선작 없는 가작에 입선되었으며 이를 계기로 동아일보 독자 투고란에 「낙엽落葉」, 「진달래」, 「새벽」 등을 투고하였고 선을 맡았던 가람 이병기 선생이 엽서를 보내 문장지文章誌 추천을 권유하기도 하였다. 그리하여 마침내 1940년 『문장文章』지 6, 7월호에 「달밤」이 추천되어 문단에 나오게 되었다.

또한 1937년 차남 상인相麟에 이어 41년 3남 상국相國이 출생하면서

1945년까지 밀양과 유천 등에서 정미소三共商會, 만물상, 제재소興亞林業會社 등을 경영하기도 하였으나 크게 성공하지는 못하였다. 해방이 되자 그는 모든 가산을 정리하여 대구시 대봉동으로 이사하게 되는데 여기서 문예지 『죽순竹筍』과의 만남은 그를 본격적인 문학인으로 발돋움하게 하는 디딤돌이 되었다.

한편 대구고등법원 재무과장을 시작으로 문화극장 사무과장, 대구일보 문화부장, 논설위원, 서울주재 특파원, 대구매일신문 편집국장으로 이어진 그의 직업은 대부분 시대상황에 대한 비판정신을 가열시키기에 알맞은 역할의 연속이었다. 때로는 과격한 논조로 비리와 불의를 고발하기도 하고 뜻하지 않은 모함과 필화사건으로 고초를 겪기도 하였다.

그 가운데서 첫 번째 불행은 6 · 25 전쟁 발발 직전인 1949년 남로당 도간부라는 모략으로 군법회의에 회부되어 사형언도를 받았으나 이듬해 당시 대통령 비서실장이던 시인 김광섭의 진언으로 가까스로 풀려난 사건이었다.

또 한 가지는 1954년 「바람벌」이라는 작품을 『현대문학』 3월호, 대구대학보에 발표했다가 반공법에 저촉된다 하여 기소되는 필화筆禍를 겪었던 일이었다. 그러나 사회의 모순과 부조리를 질타하던 예리한 필봉의 저널리스트 이호우의 필화는 거기서 그치지 않았다. 1958년 당시 매일신문 편집국장이던 시절에도 KNA기 납북사건 때에도 그의 사설이 지나치게 과격하다는 이유로 또 다시 필화를 겪지 않으면 안되었다.

하지만 그러한 와중에도 시조라는 민족문학에 대한 그의 애정은 각별한 것이어서 1954년 윤계현尹啓鉉과 함께 『고금명시조정해古今名時調

精解』(문성당 간刊)를 펴냈으며 1955년에는 첫 시집인『이호우시조집』을 상재하여 제1회 경상북도문화상을 받기도 하였다.

비록 여러 가지의 시련과 고초를 겪기는 하였지만 그러나 이호우에게는 이 무렵이 생애 가운데 가장 치열한 삶을 경험한 소중한 시기였었다.

1960년대에 들어서는 잠시 경북반민주행위자 조사위원으로 참여한 것 외에는 일체의 공직에 나가지 않고 대구시 대명동 1805(청구주택 60호)으로 이사, 문학활동에만 전념하였다. 주로『죽순』과『현대문학』지를 통하여 작품을 발표하였고 1965년 〈경북시조동우회〉 결성에 참여하였고 1967년 〈영남시조문학회〉로 개칭하면서 초대회장을 맡아 후진 양성과 시조문학의 저변확대에 크게 기여하였다. 이 때 여기서 발간한 사화집이 오늘날까지도 지속되고 있는『낙강洛江』인데 그가 쓴 서문을 보면 시조에 대한 그의 철학과 자세가 어떤 것이었는지 미루어 짐작할 수 있겠다.

"무턱대고 내 것만 앞세우는 과잉자취의 사고도 마땅치 않지만 외래사조에 맹목한 사대적 자비사상은 더욱 배제되어야 할 줄 안다. 남의 가락에 덩달아 난무하기에 앞서 보다 먼저 나의 목소리와 핏빛과 몸짓과 식성 또는 체온을 찾고 배우고 생각해보는 마음들이 모여 동인 작품집『낙강』제1집을 간행한다"[2] 註2)『낙강』창간호 서문

1968년 그는 한국최고의 여류시조시인인 누이 이영도와 오누이시조집『비가 오고 바람이 붑니다』(중앙출판공사) 속에『휴화산』(이호우

분), 『석류』(이영도 분)를 함께 간행하게 되는데 『휴화산』은 이미 1955년에 간행한 『이호우시조집』의 작품들을 전재함으로써 선집選集이 되었다.

그의 생애는 공교롭게도 근대화 과정에서 조국이 겪어야 했던 갖가지 고난과 시련의 역사성과 겹쳐져 있다. 일제의 주권 침탈과 동족간에 겪어야 했던 이데올로기, 그리고 독재와 민중의 자각 등 어느 하나도 외면해버릴 수 없는 상황들과의 갈등에 휩싸이지 않을 수가 없었다. 183cm의 훤칠한 키에 체중 55kg의 바싹 마른 체구의 이호우로서는 어느 한 가지도 감내하기가 쉽지 않았다.

만년에는 이 모든 좌절과 절망을 오로지 시조를 통해서만 풀었으며 선비다운 자기 영토를 넓혀 나갔으나 1970년 1월 6일 대구시내 동문다방을 나와 귀가 중 심장마비로 타계하였으니 그의 나이 59세였다. 장례는 1월 10일 협성상고 교정에서 문인장文人葬으로 치러진 뒤 그의 유해는 고향집 건너 밀양시 상동면 어목산漁目山 중턱, 선영에 잠들었다.

그러나 스스로 고독의 길을 선택했던 생전의 모습과는 달리 사후死後에 그는 오히려 관심과 평가의 대상이 되었다.

1972년 1월 6일 후배 문인들에 의해 대구 앞산공원에 〈이호우시비〉가 제막되었고 1992년 12월 15일 고향의 주민들에 의해 남성현 고개에 「살구꽃 핀 마을」을 새긴 시비가 세워졌고 2003년 11월 29일에는 청도군이 나서서 고향 마을 앞에 또 하나의 시비를 세웠다.

1991년에는 〈이호우시조문학상운영위원회〉가 발족되었고 이듬해 제1회 이호우시조문학상이 시상되었다. 제10회까지 이 민간의 〈운영위원회〉가 주관해오던 상이 출신지인 청도군에서 주관하여 지금까지 16회의 수상자를 배출하였다.

한편 이러한 관심과 애정은 출판으로도 이어져 1992년에는 이호우 시조전집 『차라리 절망을 배워』(그루 간刊/ 문무학, 민병도 편저)가 간행되었고 2000년에는 우리시대 현대시조 100인선에 선집으로 『개화』(태학사 간刊)가 발간되어 민족문학의 종가인 시조의 새로운 위상제고에 크게 이바지하고 있다.

2. 이호우 시조의 전개양상

이호우 시조의 출발은 자연에 대한 접근으로부터 비롯된다. 그러나 그에게 포착된 자연은 단순히 도피나 감상적 차원이 아니라 노자老子적 해석과 직관에 의해 재인식되었다. 초기 스승인 가람 이병기의 감성적 직관으로부터 출발하여 현실적 조응과정을 거쳐 자신만의 초월적 직관에 이르기까지 철저히 자연과 인간과의 관계 설정에 골몰하였다.

어려서부터 자신을 둘러싼 환경의 변화에 정체성의 혼란을 겪은 그로서는 때로는 현실에 적응하려는 노력도 해보고 부정하며 일탈을 꾀해보기도 하였다. 때로는 저항의 수위를 높여가면서 자신을 보호하고자 노력하기도 하였고 이데올로기를 둘러싼 갈등과 대립 속에서 선택을 강요받기도 하였다. 언제나 민족과 동시대적 아픔을 함께 나누고자 의식은 늘상 깨어 있었고 마침내 초월과 달관이라는 비무장 지대를 찾기에 이르렀다.

1) 현실 적응기 (1934 – 1950)

현실에 대한 자기 보호적 자세로부터 출발한 문학에의 관심과 시조라고 하는 민족시에 대한 애정으로 대변되는 그의 초기 시를 대표할 수 있는 작품으로 「달밤」을 빼놓을 수가 없다.

낙동강 빈 나루에 달빛이 푸릅니다
무엔지 그리운 밤 지향 없이 가고파서
흐르는 금빛 노을에 배를 맡겨봅니다

낯익은 풍경이되 달 아래 고쳐보니
돌아올 기약 없는 먼 길이나 떠나온 듯
뒤지는 들과 산들이 돌아돌아 뵙니다

아득히 그림 속에 정화된 초가집들
할머니 조웅전趙雄傳에 잠들던 그 날밤도
할버진 율 지으시고 달이 밝았더이다

미움도 더러움도 아름다운 사랑으로
온 세상 쉬는 숨결 한 갈래로 맑습니다
차라리 외로울망정 이 밤 더디 새소서
–「달밤」 전문

이 작품은 1940년『문장』지 6,7월 합본 호에 가람 이병기 선생의 추천으로 발표된 등단작품이다. 한 폭의 동양화를 보는 것처럼 우리네 농촌 정경이 아련히 묻어나는 4수 1편으로 구성된 연시조다. "새롭고 깨끗하며 아무 억지도 없고 꾸밈도 없고 구김도 없다"라고 한 가람 선생의 평에서 알 수 있듯이 전통적 시조 율격에 충실한 작품으로 초창기 그가 지닌 시조관을 엿보게 한다.

첫 수에서는 영남의 젖줄이라고 하는 낙동강을 등장시켜 달빛과 조응하게 함으로써 애수와 적막감을 자아내게 한다. 그리고 시적 자아는 '금빛 노을에 배를 맡겨' 자연과의 합일을 시도하고 있다.

둘째 수에서는 자신을 둘러싼 고향 내지 조국에 대한 새로운 인식을 통한 내면의 애정을 확인하였고 셋째 수에서는 드넓은 자연 속에서 함께 조화를 이룬 사람들, 즉 할아버지와 할머니와의 추억을 회상함으로써 동심 위에 펼쳐지던 글읽기와 시의 세계를 자신의 정신이 무엇으로부터 비롯되었는지를 밝히고 있다. 이 같은 전개를 면밀히 관찰해보면 비록 한 폭의 그림같이 평화로운 정경이되 설명과 나열을 넘어 자신의 결론을 도출하기 위한 계산된 보행임을 알 수가 있다.

넷째 수에서는 세속의 산적한 부정적 요소에도 불구하고 세상을 아름답게 하는 것은 자정능력을 지닌 고향의 자연, 특히 달빛이 흐르는 밤에 대한 외경감이 역설적으로 형상화되어 있다. 어찌 보면 그러한 자연에 몰입되어 '차라리 외로울망정 이 밤 더디 새'기를 바라는 체념과 자기 도피적 심정의 일단이 아닌가 보여진다.

이 작품에서 한 가지 주목할 점은 이호우의 공간개념이다. 첫 수에서부터 '지향 없이 가고파서' '금빛 노을에 배를 맡'긴 시적 화자가 마지막 수 종장에서도 '차라리 외로울망정 이 밤 더디 새'기를 바라고 있다. 철저히 달밤이라는 제한된 공간을 지키고 있다. 고향에서 배를 띄워 나아간다는 것은 공간적으로 보면 고향으로부터 멀어지지만 그리하여 정다운 유년의 향수에 젖음으로써 시간적으로 보면 오히려 고향과 더욱 더 가까워지게 되는 것이다. 멀어져서 더욱 가까워지는, 그의 역설적 계산법은 어쩌면 불교의 '불이不二사상'과도 맞닿아 있다고 보아진다.

> 비파수琵琶水 정든 노래 달모래에 숨어들 적
> 말술 앞에 놋코 높은 마음 난우노니
> 봄이야 가든 오든 이 밤 더디 세어라
> −1934년 8월 30일자 육필

아무튼 1934년 8월 29일자로 고향친구들과 함께 촬영한 기념사진 뒤에 친필로 남겨둔 위의 시조를 이호우 시조의 출발점이라고 볼 때 습작기의 마지막 작품인 「달밤」의 문학적 성취도는 '자연과의 조화 내지 합일'이라는 초기시의 결정체라고 할 수 있을 것이다.

이 시기의 작품들로는 「휴일」, 「초원」, 「이단의 노래」, 「나를 찾아」, 「해바라기처럼」, 「첫 설움」, 「나의 가슴」, 「병실」, 「팔조령」 등이 있는데 특히 「초원」은 1949년 그가 남로당 간부라는 모함으로 사형언도까지 받았던 그 해 7월 『죽순』지에 실렸던 작품으로 그 당시의 심경을 이해할 수 있을 것이다.

2) 현실 비판기(1951 – 1960)

6.25라고 하는 외세에 의한 민족전쟁과 독재라고 하는 이 시기는 이호우에게도 혼돈과 저항의 시기였다. 무죄로 풀려난 시기가 6.25 전쟁을 눈앞에 둔 시점으로 목숨마저도 위협을 느껴야만 했던 그로서는 더욱 더 현실과 대응하는 자세로 바뀌어 간다. 특히 언론에 종사하면서 예리한 필봉으로 현실을 비판하고 부정과 부패에 맞서 민중의 권리를 지켜내고자 하였다. 말하자면 보편적 인간성 회복을 향한 노력이자 저항이었다.

이 시기의 대표작으로는 1955년에 대구대학 학보와『현대문학』지에 발표하여 반공법 위반이라고 기소되어 필화사건을 겪은「바람벌」을 꼽지 않을 수 없다.

그 눈물 고인 눈으로 순아 보질 말라
미움이 사랑을 앞선 이 각박한 거리에서
꽃같이 살아보자고 아아 살아보자고

욕辱이 조상에 이르러도 깨달을 줄 모르는 무리
차라리 남이었다면, 피를 이은 겨레여
오히려 돌아앉지 않은 강산이 눈물겹다

벗아 너마저 미치고 외로 선 바람벌에
찢어진 꿈의 기폭旗幅인양 날리는 옷자락

더불어 미쳐보지 못함이 내 도리어 쉽구나

단 하나인 목숨과 목숨 바쳤음도 남았음도
오직 조국의 밝음을 기약함이 아니던가
일찌이 믿음 아래 가신 이는 복되기도 했어라
–「바람벌」 전문

4수 1편의 연시조로 된 이 작품에는 각 수마다 각각의 사연과 사건들을 떠올리고 있다. 첫 수에는 '순'이라고 대변된 한 소녀가 등장한다. 모질고 '각박한 거리에서' '꽃 같이' 착하게 살아보고자 한 '순'의 눈물을 이호우는 차마 바라보지 못하고 괴로워한다.

둘째 수에는 한 조상, 한 핏줄을 나누었음에도 오로지 자기 욕망에만 도취되어 서로를 향한 약탈과 학살을 일삼는 이데올로기에 대한 비판과 철리哲理에 순응하는 자연을 대비시킴으로써 인간의 잔학상을 폭로하고 있다.

셋째 수에서는 철저히 인간성이 파괴되고 윤리가 도륙당한 이러한 세상에 저항하다 미쳐버린 한 벗을 등장시켜 상대적으로 함께 할 용기를 지니지 못한 자신을 나무람으로써 속죄한다. 중장의 '찢어진 꿈의 기폭인양 날리는 옷자락'이 상징하는 불안하고 절망적인 모습의 등장은 이호우가 지닌 상황인식의 한 단면이라 하겠다.

넷째 수에는 과거 그러한 상황을 극복한 애국지사들의 활약상을 떠올림으로써 신념과 명분을 잃은 개인적인 욕망에 대하여 일침을 가한다. '오직 조국의 밝음'만을 목표로 목숨의 있고 없음을 초월하였던 민족적 스승과 지도자에 대한 경의를 다함으로써 분단된 국토에서 갖추어야 할 정신의 저울대를 제시하고 있다.

지금 와서 생각해보면 그러나 결과적으로 이러한 논리가 반공법에 저촉되었다고 하니 반공을 규정하는 잣대 또한 얼마나 불량품이었던가를 가늠케 하고도 남는다.

이 시기의 주요 작품으로는 「벽1」, 「벽2」, 「영어」, 「기旗빨」, 「촉석루」, 「너 앞에」, 「오월」, 「금」 등이 있는데 특히 「금」에 대한 이호우의 애정은 남다른 데가 있었다.

차라리 절망을 배워 바위 앞에 섰습니다
무수한 주름살 위에 비가 오고 바람이 붑니다
바위도 세월이 아픈가 또 하나 금이 갑니다
–「금」

1955년 이호우의 첫 시조집 『이호우 시조집』에는 이 작품이 「바위 앞에서」로 발표되었다. 그러나 1968년 『휴화산』에서는 제목이 「금」으로 바뀌고 배행 또한 3행에서 6행으로 분절되었다. 물론 내용면에서는 자구 하나 바꾸지 않았다. 그럼에도 굳이 「바위 앞에서」를 「금」으로 바꾼 까닭이 어디에 있었을까.

그것은 이 작품의 초점이 '바위'라는 대상물에서 '금'이라고 하는 상황으로 바뀌었다는 점에서 찾아야 할 것이다. 애초에는 삶의 과정에서 부딪치는 힘겨운 상황을 맞을 때마다 억겁의 비바람에도 견디어내는 바위의 변함 없는 모습이 이 작품의 창작 동기였던 듯하다. 그러나 시간이 가면서 그 숫한 시련들 가운데서 절망과 체념을 반복하면서 오히려 자신과 교통할 수 있는 위안을 얻게 해준 것은 '금'이었던 것이다.

조그만 어려움에 슬퍼하고 현실을 피하고자 하는 나약한 삶의 모습에서 벗어나 지나간 역사적 경험들이 그러했듯이 절망과 체념을 숙명적으로 끌어안고 비와 바람을 이기고자 하는 의지가 강하게 읽혀지는 작품이다. 이 때의 바위는 바로 이호우 자신이며 자신의 삶이 극복해야 할 실체적 존재인 것이다. 여기서 이 시기 그의 삶이 어떤 자세를 지향하고 있는지를 가늠할 수가 있다.

전체적으로 이 시기의 작품경향은 현실에 바탕을 두되 도전에서 저항으로, 저항에서 초월로 자세의 수정을 보여준다. 물론 그 같은 변화의 배경에는 시대상황의 변화도 다소 영향을 끼쳤겠지만 무엇보다도 실존적 자아의 확충이라는 이호우 자신의 심경의 변화에서 기인되었다고 보여진다.

3) 현실 관조기(1961-1970)

이호우의 작품을 두고 굳이 물리적으로 이같이 시간을 재단한다는 것은 극히 어려운 난제가 아닐 수 없다. 왜냐하면 그의 시 세계에 있어서 1961년은 큰 변곡점이 될만한 사안이 없기 때문이다. 여전히 그의 예리한 눈초리는 비판의 각도를 늦추지 않았고 그가 다루는 작품의 소재 또한 현실에 대한 고발성 진단이 적지 않았다.

그러면서도 비판이 비판 자체를 목적으로 하지 않았고 고발이 고발 자체를 목적으로 하지 않았기 때문에 기대 결과에 이르는 보다 근원적인 대안과 처방을 모색하였다는 점에서 변화의 시점으로 보고자 하는 것이다.

이 시기에 발표한 초기 작품 가운데 하나인 「청우」를 보면 아직도 예의 그 시퍼런 두 눈이 보이는 듯하다.

청우聽雨

–1961년 가을, 미소원폭실험경쟁에 즈음해서

무상을 타이르는/ 가을 밤 비소린데

서로 죽임을 앞서려/ 뿌리는 방사능진放射能塵

두어도 백년을 채 못할/ 네나 내가 아닌가.
–『시조문학』 1961년 겨울호

그러나 정작 이 시기를 대표하는 작품은 「휴화산」과 「개화」라고 할 수 있을 것이다.

일찍이 천 길 불길을
터뜨려도 보았도다

끓는 가슴을 달래어
자듯이 이 날을 견딤은

언젠가 있을 그 날을 믿어
함부로ㅎ지 못함일레.
–「휴화산」 전문

그는 사실 정의롭지 못하고 부정과 부패에 뿌리 박힌 지난한 한 시대를 헤쳐오면서 불의에 항거하기도 하고 불의에 맞서보기도 하였다. 언제나 그의 사고는 현실보다 앞질러 갔고 시대는 그를 따라가지 못하였다. 경고도 해보고 질타도 해 보았지만 그는 늘 혼자였고 고독과 좌절만이 그의 곁을 지켰다.

자신부터 추스르지 않으면 안되었다. 자신부터 다시 끌어안지 않으면 안되었다. 이러한 좌절 끝에 놓인 자기의 모습을 발견하였으니 그것이 곧 「휴화산」이었다. 정말 '일찌기 천 길 불길을/ 터뜨려도 보았'고 '끓는 가슴을 달래어/ 자듯이 이 날을 견'디어 온 것은 바로 '언젠가 있을 그 날을 믿'었기 때문이 아니었던가.

지나온 삶에 대한 아쉬움이나 현실에 대한 불만보다는 내일에 대한 강렬한 자신감이 돋보이는 이 작품은 선집選集 성격의 그의 두 번째 시집의 표제表題로 사용되었다는 점으로 봐서도 애정의 농도를 읽을 수 있다.

그러나 이호우 시조의 극점은 단연 「개화」가 점하고 있다. 이 작품에 이르면 초기 자연에의 귀의를 지나 현실에 대한 부정과 비판을 통해서 사회와 민족을 껴안았고 종교와 우주관을 아우르면서 비로소 그의 시세계는 완성되었다. 인간과 우주가 하나되는 장엄한 세상이 열린 것이다.

꽃이 피네 한 잎 한 잎
한 하늘이 열리고 있네

마침내 남은 한 잎이
마지막 떨고 있는 고비

바람도 햇볕도 숨을 죽이네
나도 아려 눈을 감네
—「개화」 전문

1962년 『현대문학』에 실린 이 작품은 그러나 그 시작詩作의 시점이 1950년대 중반으로 올라간다. 그 무렵 이호우는 많은 자유시를 썼다. 물론 대부분은 시조의 초고草稿로 활용하였고 자유시로는 발표하지 않았다. 시조에 대한 그의 단호한 자세를 읽을 수 있는 부분이라 하겠다. 자유시로 된 습작노트 가운데에는 「개화」의 초고로 활용한 「꽃이 터진다」라는 제목의 다음과 같은 시가 포함되어 있었다.

꽃이 터진다

활짝
마지막 한 잎 화변花辯에

열리어지는 한 하늘의 전율戰慄

꽃이 터진다

석화石火의 영겁永劫에 통通한 고요
바람 하나 까닥 않고
햇볕도 숨죽여 지키는
미분微分의 순간瞬間이다
–〈1950년대 유고遺稿 중에서〉

1962년『현대문학』지의 발표를 기준으로 하더라도 모름지기 7,8년은 족히 걸린 작품이다. 하지만 그의 퇴고推敲는 거기서 그치지 않았다. 다시 6년이 지난 1968년『휴화산』에서는 종장의 세 번째 음보의 둘째 음절을 '가만'에서 '아려'로 바꾸어 놓았다. 얼핏보면 '가만'이나 '아려'나 크게 다르지 않다고 간과할 수 있으나 '가만'이 자율적인 행위인데 반해 '아려'는 타율적인 행위라는 점에서 큰 대조를 지닌다.

생명을 있게 한 바람과 생명의 근원인 태양이 삼가 할 일이라면 사람의 존재야 더 말해 무엇하랴. 처음에는 그토록 경이롭고 신비한 생명의 실상을 발견하고 바람이 하는 대로, 태양이 하는 대로 눈을 감았지만 곰곰이 생각하면 그것은 자연에 대한 교만이었다. 바람과 태양이 눈을 감는 행위와 내가 그것을 깨달아서 눈을 감는 것은 도저히 하나일 수가 없다. 자연의 섭리에 의해 저절로 눈을 감았던 것이다. 말하자면 주체가 사람이었던 데서 자연 내지 우주로 바뀐 것이다. 여기서 이호우의 깊은 사유와 통찰이 돋보인다.

물리적인 시간으로 보면 「개화」 한 편을 완성하는 데 적어도 십수 년이 걸렸다는 계산이 성립된다. 물론 이호우의 개작과정은 어느 누구도 흉내낼 수 없을 만큼 어느 작품 하나 소홀히 한 적이 없었다. 철저히 고치고 철저히 실험하여 완성시킨 작품을 또 다시 고치기를 수십 년씩 거듭하였다. 그러기에 그는 엄밀히 말해 평생 『휴화산』이라는 시조집 한 권밖에 남기지 않았던 것이다.

외형적으로만 보면 「개화」는 꽃이 피는 모습을 객관에 충실한 채 묘사한 소품에 불과하다. 꽃이 피는 현상, 즉 생명 현상으로 생명의 탄생이 주는 신비감과 생명의 탄생을 가져다 준 자연에 대한 외경감畏敬感이 이 시조의 핵심이다.

가만히 관찰해보면 한 하늘, 한 세상을 구성하는 요소는 한 잎 한 잎 피어난 꽃잎과 같이 하찮은 듯하면서도 지극히 작은 생명활동이다. 마지막으로 한 세상이 완성되는 광경이란 거룩한 선물과도 같다. 굳이 '마지막'이라는 상황을 설정한다거나 '떨고 있는 고비'를 시각화함으로써 극도의 긴장미를 높여주고 있다. 적어도 「개화」가 현대시조가 고시조와 어떻게 구별되는가를 극명하게 보여주는 작품이라는 데 이의를 제기할 사람은 아무도 없다.

이 밖에도 월남전 참전을 소재로 한 「삼불야」, 삼팔선을 소재로 한 「춘한」과 「추석」, 분단을 아파한 「단층에서」, 「하」, 「연」과 같이 불교관에 의지하여 깨달음을 통한 길 찾기를 시도한 작품 등 다양성이 이 시기의 특징이라 하겠다.

3. 이호우 시조의 문학적 성과

이호우 시조가 획득한 문학적 성과는 한 마디로 고대 창사唱詞로서의 시조를 현대문학 속으로 안주安住시켰다는 데에서 찾을 수 있을 것이다. 물론 소재나 주제 등 내용적인 면에서도 차별화를 이룩하였지만 특히 형식의 창조적 계승과 끊임없는 개작과 퇴고를 통한 투철한 시정신은 독보적인 것이었다.

1) 형식의 창조적 해석

시조가 세계에서 지켜지고 있는 정형시 가운데서도 유독 차별화된 특징은 불변의 자수나 각운을 사용하지 않으면서 오직 율격 자체의 변화만으로 종지법을 나타낸다는 점이다. 이를테면 초장과 중장과는 달리 종장의 경우 네 음보를 지키면서도 음절수에 변화를 꾀함으로써 마치 다섯 음보와도 같은 율격효과를 가져와 시조가 지닌 닫힌 느낌의 형식적 한계를 극복하고 있다.

정형시에 대한 형식적 결함이라는 일부 평론가들의 지적에도 불구하고 우리 민족의 오랜 정서 속에서 실험되고 검증되어온 시조의 독자성은 이처럼 형식의 창조적 변용에서 찾을 수 있을 것이다. 이는 확고부동의 형식을 만들어 두고 한 치의 오차도 없이 고수하는 것이 아니라 자율적인 판단으로 새로운 질서를 창출하는 방식이라 하겠다.

특정한 음수에 얽매이지 않으면서 3장 6구, 4음보 3행 혹은 4음보 3장이라는 구성요소만으로 완결을 꾀하는 시조의 이 같은 구조적 특징은 소위 '테두리 속의 자유'로 우리의 민족성과 결코 무관하지 않다. 우리의 산천이 그러하듯, 계절이 그러하듯 스스로 일어서고 스스로 절제하여 환경에 조응해온 민족적 정체성의 자연스러운 선택이라고 보아야 할 것이다.

이호우의 시조 역시 시조가 갖는 열린 구조적 특징에 누구보다도 민감했다고 볼 수 있다. 시조의 이러한 특징은 시조라는 명칭이 문학적 용어라기보다 음악적 용어라는 점에서 그 연원을 찾을 수가 있다. 필기나 인쇄에 의한 가시可視적인 접근이 아니라 소리로 듣는 청각聽覺적인 접근에 의해서 전달되는 특수성과 창唱이라고 하는 전달매체의 개성이 잘 드러날 수 있는 구조라는 점이다. 각 장마다 네 박자로 구성되었으되 종장의 둘째 박이 늘어진 율격으로 500년이 넘는 세월을 자생해 온 것이다.

그런데 이호우의 시조에서는 많은 경우 이 박자 구조를 깨뜨리고 있음을 볼 수 있다. 한 예로 비교적 후반기 작품인 「손길」이라는 작품을 보자.

> 바람 한 번 / 스쳐만 주면 / 와르르 필 / 저 ∨ 꽃망울들을
> 가슴으론 / 이리 느낌을 / 그대 손길 / 와 ∨ 닿지 않네
> 절벽서 / 내리 뛰듯 ∨ 그렇게 / 피고 지라 / 지고 피라

초장과 중장의 넷째 박, 그리고 종장의 둘째 박의 경우 한 박자의 길이를 넘고 있다. 굳이 박자를 지키고자 했더라면 초장의 '저'와 중장의 '와'를 뺄수도 있었을 것이나 그렇게 하지 않았다. 종장의 둘째 박도 마

찬가지다. 이는 이호우가 시조를 불변의 박자구조로 해석하지 않았다는 반증으로 보아야 할 것이다.

여기 또 한 예로 「기빨」의 초장을 소위 음보라는 개념으로 접근하여 보자.

기旗빨! / 너는 / 힘이었다 / 일체를 / 밀고 / 앞장을 / 섰다
오직 / 승리의 / 믿음에 / 항시 / 넌 / 높이만 / 날렸다
이날도 / 너 / 싸우는 / 자랑 앞에 / 지구는 / 떨고 / 있다

문법적 음보로 보자면 21음보가 된다. 3장 12음보라는 기준치를 크게 벗어나고 있다. 그러나 그는 시조의 형식을 획일적인 문법의 구조 안에만 두지 않았다. 의미단락으로 보았던 것이다. 여기서 주목할 것은 시조의 형식은 내용을 담는 그릇에 지나지 않는다는 점이다. 박자든지 음보든지 내용을 전달하는 수단이라는 보조 장치로 제한했던 것이다. 소위 여기서 〈의미음보〉라는 새로운 해석을 낳게 하였다.

이처럼 이호우 시조의 대다수가 박자나 음보라는 외형질서에서 자유로운 모습을 보여주고 있다. 이는 전적으로 전통에 대한 창의적 수용이라는 그의 확고한 자세에서 기인되었다고 보아야 할 것이다. 이 점이 파규破規느니 파격破格이느니 문제제기를 하면서도 그러나 그의 작품을 시조라는 장르 안에서 탐구의 대상으로 삼는 문학적 성과 가운데 하나일 것이다.

2) 투철한 시정신

이호우 시조를 말할 때 빼놓을 수 없는 또 하나의 차별성은 그의 투철한 시정신일 것이다. 앞서 「개화」에서도 언급되었듯이 그는 작품 한 편을 두고 수십 년 동안 퇴고推敲와 개작을 거듭할 정도로 철저하였다.

지금까지 밝혀진 이호우의 작품은 모두 185편이다. 그 가운데 첫 발표 이후 개작을 하지 않은 작품은 「달밤」, 「바람벌」, 「정좌」, 등 33편에 불과하다. 그 외에 「공일」→「휴일」, 「바위 앞에서」→「금」 등 제목을 바꾼 작품이 33편, 아예 개인 작품집에서는 버린 작품이 28편이나 된다. 그 나머지는 최소 1번에서 「벚꽃」과 같이 16번이나 고친 작품과 같이 퇴고와 개작을 거듭하였다. 그런 면에서 보면 그 자신이 "이번에 권하는 이 있어 시조선집을 낸다"고 『휴화산』 후기에서 밝혔듯이 평생 작업이 『이호우 시조집』이라는 시조집 한 권과 시조선집 『휴화산』이 전부인 셈이다.

스스로를 경계하고 민족문학에 대한 투철한 사명감으로 거듭거듭 자신을 옥죄었던 그는 『휴화산』 발간 즈음해서는 거의 단형시조로 제한하였고 배행에 있어서도 3장(연) 6구(행)를 고수하여 소위 이호우 식의 시조형식을 남겼다.

그러나 이호우의 변혁의지는 형식적인 면 못지 않게 내용의 면에서 평가받아야 할 것이다. 적어도 "현대시의 이미지와 상징수법을 시조속에 차용하고 있는 점과 분단과 민중의 현실 등 비시조적 소재를 끌어들이려 노력한 점은 인정해야 할 것이다."[3] *註3) 김창완/정형에의 향수와 일탈-〈한국현대시문학대계 · 22〉* 「단층에서」, 「춘한 2」, 「추석」과 같은 작품을 통해 민족의 문제를 자신의 과제로 받아들이려 한 노력은 시조에 대한 일반의 고정관념을 깨뜨렸을 뿐만 아니라 시조의 미래를 향한 방향성 제시이기도 하였다.

한국시조가 일찍이 도달해 보지 못한 정신의 가열성을 획득하였다는 평가를 받는 「기旗빨」에 대해 김창완은 "시조 혹은 시를 버리면서까지 밀고 가는 이호우의 시정신은 밤에도 잠들지 못하고 역사를 아파하고 역사를 앞장서 이끌어가려고 한다.[4] *註4) 김창완/〈전게서 238쪽〉*

그의 이 같은 시정신이 담긴 다음의 글 두 편을 보면 그가 얼마나 시조에 대한 올곧은 생각을 지녔는지를 짐작할 수가 있다.

> 우리 시조가 남에 비해 적잖은 결함을 지녔는지 모르겠다. 비록 그렇다 하더라도 한 민족의 문화예술이 그 민족의 오랜 정서의 생활과 체험과 역사를 바탕해서 이룩된 것일진대 그 민족문학의 시조가 내포한 실함失陷의 죄책을 시조에 지워서 외면해버리려는 일은 타당한 일이라 할 수는 없을 것 같다. 오히려 민족전체가 함께 나누어 지고 한결 다듬어 가꾸어서 민족시조로서 빛을 내게 해야만 하지 않겠는가 여겨지는 일이다. 시조가 지니고 있는 현대 시문학으로서의 진전을 저해하는 정형과 그에 따른 음악성은 암송을 전제하는 국민시가의 형태와 성질에 있어서는 도리어 불가결의 요소이기도 한 것이다. 만약에 한 민족에 있어서 범국민적 국민시가의 존재성과 그 효능성이 부인되지 않고 부인될 수 없는 일이라면 보다 더 시조에 대한 민족적 애호와 육성의 경주가 있음직한 일이다.
>
> –〈민족시가로서의 시조〉/효성여자대학학보, 1968년 11월 1일자

그러나 시조부흥에 힘써온 분들 가운데에는 본의는 아닐 지나마 양산에만 유의하여 질적 고려를 등한히 하고 또는 신진들을 너무 안이하게 내세운 폐단이 없지 않아서 시조의 질 저하를 초래하고 따라서 시조를 문자의 권외로 외면케 하는 역결과를 자초하였음이 없지 않았음은 한스러운 일이라 아니할 수 없다. 그것은 신진들의 창작의욕을 돋우어 준다기보다는 차라리 알뜰히 공정을 쌓아서 장래에 유위한 작가로 성취할 수 있는 싹수있는 양재良材감을 설 키워 아깝게도 불량목不良木으로 망쳐버리는 작위가 되기 고작일 것이기 때문이다. 한 포기를 심고 가꾸더라도 양화를 심고 가꾸어야 할 것이지 잡초를 심고 가꾸어서야 어찌 가히 앞날의 아름답고 향기로운 개화를 기약할 수 있을 것인가?

잡초는 오히려 심고 가꾸지 않더라도 절로 나서 무성키 마련이요 양화는 정성 들여 가꿔주고 그를 범하기 일쑤인 주위의 잡초들을 항상 삭제해 주어야만 하는 법이다. 잘못 버려두면 무성한 잡초들의 성화로 말미암아 개화를 보기도 전에 시들어 버리고 말기 쉬운 때문이다.

–〈겨레의 혼이 담긴 샘〉 / 《여원女苑》, 1966년 6월호

이처럼 위의 글에서도 알 수 있듯이 시조단에 남아 있는 이호우의 가장 큰 목소리는 소위 '잡초론'의 제기일 것이다. 일부 상업잡지나 잡지 종사자들이 잡지의 유지와 보급에 급급한 나머지 시정신이 없는 잡초 같은 신인들을 양산하여 시조단을 망치게 한다는 질타였다.

물론 이 같은 경고나 시정신이 그 자체만으로 문학적 성과가 될 수는 없다. 하지만 자칫 자기보신주의에 길들여지기 쉬운 문학이라는 정신 활동 안에서 이토록 끈질기고 깊은 시조사랑이 남긴 유산은 이미 계측의 범위를 넘어선 것이라 하겠다.

21세기 글로벌시대의 새로운 질서 속에서 민족문학의 독자성이 그 어느 때보다도 절실해지는 상황에서 이호우의 시정신과 그가 남긴 작품의 성과는 분명 새롭게 자리매김되어야 한다. 비록 서구 물질문명의 범람에 따른 정체성의 혼란과 맞물린 민족문학, 특히 시조의 위상 저하라는 일시적 위기를 맞았음에도 불구하고 자신의 보법대로 목적지를 향해서 의연히 걸어간 그의 발자취가 다시금 절실해진다.

민병도

1953년 경북 청도 출생, 1976년 한국일보 신춘문예 당선. 중앙시조대상, 정운시조문학상, 가람시조문학상 등 수상. 시조집『슬픔의 상류』『장국밥』『들풀』『삶이란』외. 한국문인협회 시조분과 회장, 한국시조시인협회 이사장 역임. 대구미술협회 회장, 전 한국미술협회 부이사장 역임. 이호우 · 이영도문학기념회 회장, 계간《시조21》발행인. (사)국제시조협회 이사장.

이호우의 시조 미학

유 성 호 | 문학평론가, 한양대 교수

1. 근대시조사의 중요한 양태이자 흐름

'시조時調'는 지금 우리 시대까지 그 양식적 동일성이 지속되고 있는 유일한 우리 고유의 정형시다. 말할 것도 없이 이는 시조가 오랜 역사적 흐름 속에서 고유의 생명력을 유지해온 것을 뜻하기도 하지만, 한편으로는 복잡다단한 근대인의 감각과 정서를 표현하는 데 따르는 외적 제약을 일정 부분 극복해온 것을 뜻하기도 한다. '노래하는 시'에서 탈각脫却하여 활자 매체에 의존하는 '읽는 시'로서의 속성을 가지게 된 시조는, 그만큼 다양한 근대적 변형을 치르면서 오늘날까지 양식적 동일성을 힘겹게 이어왔다. 이러한 조건을 가진 시조의 역사를 통시적이고 진화론적으로 설명하려는 욕망은 당연히 시조사 서술에 대한 그것으로 자연스럽게 전이되는데, 이때 우리는 육당, 위당, 가람, 노산 등의 선구자들을 깊이 기억하게 되고 나아가 그 후 차례로 등장하는 조남령, 김상옥, 이호우, 정완영 등이 채굴한 근대시조사의 굵은 광맥에 상도想到하게 된다.

사실 우리 근대문학사에서 시조는 여러 면으로 주변부에 위치해 있었다. 그것은 내면의 자율성과 현실의 구체성을 통합하려 했던 근대문학의 속성을 시조가 충족하기 어려웠던 데다, 근대문학의 장場에서 그 위의威儀를 회복하고자 했던 '시조부흥운동'이 일정한 수세를 띠었기 때문이다. 또한 이미 시조가 율독을 통해서만 정형 양식임을 느낄 수 있는 쪽으로 존재 방식을 바꾸었고, 작품 평가 기준도 시조 고유의 요소보다는 시 일반 요소에 의존하게 됨으로써 정형 양식으로서의 독자성을 일정 부분 상실하게 되었기 때문이기도 하다. 하지만 이러한 조건들이 시조를 근대문학사의 주변부로 밀어냈을지라도, 그것이 시조의 양식적 가능성을 제고한 측면도 가지고 있다는 점을 우리는 잘 알고 있다. 이러한 양면성을 가진 근대시조사의 한켠에 매우 중요한 양태이자 흐름으로 존재하는 것이 바로 이호우의 시조 작품들일 것이다.

잘 알려져 있듯이 시인 이호우(李鎬雨, 1912-1970)는 경상북도 청도에서 태어났다. 누이인 이영도와 함께 '오누이 시인'으로 한층 유명한 분으로서, 필명으로는 유일하게 '이호우爾豪愚'를 썼는데 이는 본명과 동음同音으로 스스로를 겸허하게 칭한 아호라 할 수 있다. 이호우는 경성제일고보를 졸업하였고 일본 동경예술대학에서 수학한 엘리트적 경력을 지닌 시인이다. 1936년 「영춘송迎春頌」이라는 시조작품으로 동아일보 신춘문예에 당선작 없는 가작으로 입선하였고, 그 후 1940년 추천 전까지 동아일보 독자 투고란에 여러 시편을 투고하였다. 그러던 중 가람 이병기에 의해 「달밤」이 『문장文章』 1940년 6, 7월호에 추천됨으로써 정식으로 등단하게 된다. 이때 가람은 "이호우爾豪愚로서의 느낌과 용어" *이병기, 「시조선후」, 『문장』 1940. 6, 7월호, 197면.* 사용을 높이 샀으며 자연스러운 이호우의 근대적 언어와 기풍에 깊이 공감하였다. 가람과 이호우의 평생지연이 이때 성립되었다고 할 수 있다. *이호우는 가람이 별세하자 다음과 같은 시조를 지어 바친다. 스승으로서의 가람을 향한 정성과 흠모가 깊이 배어 있다. 4연으로 이루어진 연시조 가운데 첫 수는 다음과 같다. "애서愛書 음시吟詩로 매화梅花 난초蘭草 기르시며/이 땅의 선비 길을 끝내 지키시다/추명秋明을 학鶴 날아가듯 기어期於 떠나가셨니까."(「가람 선생 영전靈前에」, 『월간문학』 1969. 2.)*

가람은 이호우 시조가 새롭고 깨끗하고 술술하다면서 아무 억지도 꾸밈도 없는 자연스러움을 구현했다고 보았다. 이호우는 6.25전쟁 후 첫 시조집 『이호우시조집爾豪愚時調集』(영웅출판사, 1955. 6. 20.)을, 그 후 제2시집 『휴화산休火山』(중앙출판공사, 1968. 2. 15.)을 간행하였다. 그리고 타계할 때까지 시조와 산문 쓰기에 집중적으로 매달리게 된다.

이호우는 시조의 양식적 특성을 선험적이고 초역사적인 굴레로 생각하지 않고, 3장 구조 내에서 다양한 형식 실험을 한 시인으로 유명하다. 그 결과 '3연 6행'이라는 독자적 형식을 우리 시조사에 정착시켰고, 이후 시인들에게 많은 양식적 영향을 끼쳤다. 형식상으로 보면 초기시에서는 연시조 위주의 형식을 주로 유지하다가, 후기시로 갈수록 3연 6행의 단수 형식에 집중하였다. 후기에 그가 지향한 단수 창작에는 감정의 절제가 수반되면서 단아한 서정의 원리를 구현하게 된다. 내용상으로 보면 이호우는 개성적 제재와 목소리 그리고 다양한 주제를 지향했는데, 앞에서도 강조하였듯이 이는 가람이 이호우를 추천하면서 강조한 개성과 영감 및 범상한 제재와 상통한다. 이러한 가람의 기대가 이호우 시조 창작의 지속적 지표가 되어준 것이다. 그리고 그의 후기 시학은 현실 개입과 준열한 역사의식을 통해 현실과 역사를 직시하는 데로 확장되어간다. 이 글은 이러한 굵은 동선을 가진 이호우의 시쓰기 역정을 따라가면서 그만의 시조 미학을 살펴보려는 의도로 씌어진다.

2. 다양하고도 너른 서정의 편폭

이호우의 초기시들은 우리 근대시조사의 성장기에 이루어진 빛나는 결실들이다. 고시조의 구투舊套를 벗어나 근대적인 내용과 형식을 결속하는 쪽으로 탈바꿈되어가던 시조사의 중요한 길목에서 그의 시조 창작이 시작된 것이다. 다음 시편은 이호우가 스물한 살 때인 1932년 일본에서 학업을 이어갈 때 지은 첫 시조 작품이다.

날로 낙일落日을 보고 앉았는 소녀少女가 있어
오늘도 지나는 길 쳐다보는 창窓이
유리琉璃만 알알이 탈 뿐 열려 있지 않았다

—「첫 설음」 전문 *시집 『휴화산』에서는 제목을 '첫 설움'으로 고쳐 잡아 3연 6행시로 바꾸었다. "날마다 낙일(落日)을 보고/앉았는 소녀(少女)가 있어//이젠 버릇되어/쳐다보는 창(窓)이//유리(琉璃)만 알알이 탈 뿐/열려 있지 않았다."*

원래 첫 작품이란 어느 시인에게나 원체험의 징후를 드러내주면서 끊임없는 회귀적 단위가 된다. 이 작품은 등단 전 이호우의 최초 발화 지점을 잘 보여준다. 작품의 주된 정조는 제목에서 암시되듯 '설움'이다. 화자는 한 소녀가 지는 해를 바라보고 있는 것을 쳐다보고 있다.

하지만 그녀를 바라보는 '창'은 열려 있지 않고, 유리만 황혼에 알알이 탈 뿐이다. 청년기의 열정과 그것을 차단하는 이미지가 투명한 유리의 물질성으로 잘 나타나 있다. 같은 시집에 실린 "바로 거기 꽃같은 세월 네가 웃고 가는데/나를 막아 선 유리벽琉璃壁 차라리 투명透明이 섧구나/말없이 닫은 가슴에 자꾸 비는 내리고"(「벽壁 (2二)」)와 적극 상통하는 제재 처리 방식이 아닐 수 없다. 이러한 '설움'의 양면성 곧 소녀를 바라보게 해주는 투명의 속성과 그녀에게 닿는 것을 막는 차단의 속성이 어우러지면서 이 작품은 근대적 내면의 복합성을 잘 보여준다. 이 작품에서 발원한 이호우의 감각과 정서는 공식 등단작인 「달밤」으로 잔잔하게 흘러들게 된다. 여기서 '첫 설움'은 잔잔한 미학으로 승화되어 근대적 내면의 형식을 심미적으로 갖추게 된다.

낙동강洛東江 빈 나루에 달빛이 푸릅니다
무엔지 그리운 밤 지향 없이 가고파서
흐르는 금빛 노을에 배를 맡겨 봅니다

낯익은 풍경風景이되 달 아래 고쳐보니
돌아올 기약 없는 먼 길이나 떠나온 듯
뒤지는 들과 산山들이 돌아 돌아 뵙니다

아득히 그림 속에 정화淨化된 초가집들
할머니 조웅전趙雄傳에 잠들던 그날 밤도
할버진 율律 지으시고 달이 밝았더니다

미움도 더러움도 아름다운 사랑으로
온 세상 뛰는 숨결 한 갈래로 맑습니다
차라리 외로울망정 이 밤 더디 새소서
–「달밤」 전문

『이호우시조집』 1부 첫머리를 장식하고 있는 이 시편은, 이호우 시조 미학의 동선을 암시적으로 보여준다. 낙동강 나루터에 푸르게 번져가는 '달빛'과 화자가 느끼는 '그리움'은 이르는바 정경교융情景交融의 한 범례를 충실하게 구현한다. 그래서 금빛 노을에 맡겨보는 '배'는 화자의 마음이 투사된 상관물이 되고, 그렇게 사물과 내면이 조화롭게 정박해 있는 달밤의 낯익은 풍경 속에서 화자는 "돌아올 기약 없는 먼 길이나 떠나온" 듯한 마음으로 풍경들을 잔잔하게 바라보고 있다. 이러한 정경교융의 방법은 이호우 시조의 중요한 뼈대가 되어 후기까지 지속된다. 이때 "아득히 그림 속에 정화淨化된 초가집들"이 비로소 보이고, 조웅전 읽어주시던 할머니나 율을 지으시던 할아버지도 시 안쪽으로 호출되고 있다. 이러한 아름다운 기억들이 달 밝은 밤에 화자의 내면에 깃들이게 된 것이다. 그 순간 인간의 희로애락도 "아름다운 사랑"에 의해 한 갈래로 맑아지며, 화자는 고려가요 「만전춘별사」의 한 구절처럼 차라리 외로울망정 이 밤 더디 새길 강렬하게 희구한다. 다른 시편에서도 이호우는 "넉넉한 세월처럼 부드러운 낙동강洛東江/사람도 배도 물새도 숨을 함께 했구나"(「오월五月」)라면서 사물과 내면이 함께 해온 시간을 추스른 바 있는데, 「달밤」은 이러한 심미적 회감回感 과정을 밤새도록 거듭하는 화자의 서정적 기투가 선연하게 젖어든 작품이라 할 것이다. 이처럼 초기 이호우 시조 미학은 모든 목숨 있는 것들에 대한 사랑과 "자연에 대한 연민" 민병도,「시조의 새로운 해석과 창조적 계승」,『문학사상』 2012. 3. 166면. 에서 시작되었다고 할 수 있는데, 여기서 발원한 정경교융의 세계는『이호우시조집』수록 시편들로 하나하나 번져가게 된다.

살구꽃 핀 마을은 어디나 고향 같다
만나는 사람마다 등이라도 치고지고
뉘 집을 들어서면은 반겨 아니 맞으리

바람 없는 밤을 꽃그늘에 달이 오면
술 익는 초당마다 젊은 꿈도 익으려니
나그네 저무는 날에도 마음 아니 바빠라
–「살구꽃 핀 마을」전문

'살구꽃 핀 마을'이란, 특정 공간이 아니라 우리 농촌의 보편적이고 공통적인 표상일 것이다. 이 유명한 작품은, 고향을 향한 회귀적 정서가 자연 사물에 대한 지극한 친화를 동반하면서 근원적이고 심미적인 향수를 돋아내고 있는 명편이다. '살구꽃 핀 마을'이 어디나 고향 같다는 표현은, 바로 그 고향이 공간적 개념이 아니라 정서적 공동체임을 넌지시 알려준다. 그러니까 어디서나 어느 누구나 등이라도 치면서 반겨 맞이할 수 있는 것이다. 화자는 첫 수에서 '살구꽃'이야말로 시간과 공간을 뛰어넘어 사람들을 하나의 공통 감각으로 엮어내는 친화적 표상임을 그려낸다. 그리고 둘째 수에서 시선을 넓혀 바람도 없는 초당에 '달'과 '꽃그늘'과 '술'과 '젊은 꿈'을 차례차례 배치한다. 그래서 시인은 '나그네'로 표상된 화자로 하여금 날이 저물더라도 마음은 전혀 바쁠 것 없는 상태가 되도록 만들어낸다. 이는 "어느 집 어느 마을도 고향인양 익어라"(「귀로歸路」) 같은 표현과 발상 면에서 적극적인 등가를 이룬다. 결국 이 작품에서 고향 이미지는 자연 친화와 회귀적 꿈에 의해 잔잔하게 감싸여 있다 할 것이다.

진달래 사태진 골에 돌돌돌 물 흐르는 소리
제법 귀를 쫑긋 듣고 섰던 노루란 놈
열적게 껑청 뛰달아 봄이 깜짝 놀랜다

—「산길에서」 전문 *시집 『휴화산』에서는 3연 6행시로 바뀌었다. "진달래 사태진 골에/돌 돌 돌 물 흐르는 소리//제법 귀를 쫑긋/듣고 섰던 노루란 놈//열적게 껑청 뛰달아/봄이 깜짝 놀랜다."*

상긋 풀내음새 이슬에 젖은 초원草原
종달새 노래위로 흰 구름 지나가고
그 위엔 푸른 하늘이 높이 높이 열렸다

—「초원草原」 전문 *시집 『휴화산』에서는 3연 6행시로 바뀌었다. "상긋 풀 내음새/이슬에 젖은 초원(草原)//종달새 노래 위로/흰 구름 지나가고//그 위엔 푸른 하늘이/높이 높이 열렸다."*

이 두 작품은 감각의 청신함과 구체성을 잘 보여준다. 이러한 세계

역시 사물과 내면을 조화롭게 결속하려는 이호우만의 의식이 반영된 결과일 것이다. 앞 시편에서는 진달래가 가득 핀 골짜기를 '사태'로 묘사하면서, 귀를 쫑긋 하고 물 흐르는 소리를 듣는 노루가 열적게 껑청 뛰닫자 봄이 오히려 깜짝 놀란다는 주객전도의 설정을 수행한다. 이는 봄을 맞은 감각적 직접성을 더하는 데 알맞은 효과적 장치라 할 것이다. 뒤 시편에서는 상긋한 풀내음이 이슬에 젖은 초원에서 '종달새'와 '구름'과 '하늘'이 연속적으로 나타나는 형상을 깨끗하게 묘사함으로써, 청신하고 구체적이고 기품 있는 묘사의 한 지경을 보여준다. 여기서 '노루'나 '종달새'는 모두 동일한 자연 사물의 이형異形들로서 시인의 내면이 투사된 심미적 상관물들이다.

원래 '묘사'는 사물의 외관을 감각적으로 생생하게 재현하는 행위 및 결과를 일컫는 개념이다. 따라서 묘사를 통해 우리는 사물의 가장 감각적인 직접성과 만나게 된다. 그러나 묘사가 건조하고 사실적인 렌즈를 통한 감각적 재현에만 그친다면, 그러한 서경 편향의 소품은 주체의 개입이 최소화되면서 한 편의 산뜻한 풍경첩에 머물게 된다. 따라서 묘사와 함께 그 안에 화자의 세계 해석이나 판단이 자연스럽게 덧입혀지는 것이, 우리가 한 편의 시 안에서 주객 사이의 대화를 경험할 수 있는 방편이 될 것이다. 이호우 시편들은 이러한 정경교융의 확연한 범례로 다가오면서 우리로 하여금 구체적 감각들을 두루 융섭하는 시세계를 경험케 해주고 있다. 이처럼 다양하고도 너른 서정의 편폭篇幅 속에서 우리는 그의 초기시가 우리 근대시조사의 성장기를 빛내는 결실로 영글었음을 목도하게 되는 것이다.

3. 준열한 시정신과 의지의 가열성

이호우는 자신의 첫 시집 후기에서 "한 민족 국가에는 반드시 그 민족의 호흡인 국민시가 있고 또 있어야만 하리라 믿는다. 나는 그것을 시조에서 찾고 이뤄보려 해보았다."고 고백한 바 있다. 그리고 "나는 이 민족의 생활에 정서를 같이하고 이 민족의 장래와 보조를 함께 할 하나의 국민시를 이 땅에 이룩하고 개화시키기 위하여 국민 제마다의 정열과 노력을 빌고 싶은 심정"(「후기」)이라고 말하였다. 이처럼 일종의 '국민시' 양식으로서 시조 미학을 완성하려 했던 그의 생각은 그의 시편들로 하여금 생활에 정서를 밀착시키는 세계를 구현하게끔 하였다. 그리고 그러한 생활 지향의 세계는 현실과 역사에 대한 준열한 시정신으로 나아가게끔 하였다. 아름다운 단수로 이루어진 다음 작품은 이호우 시정신의 첨예한 지남指南이 되고도 남음이 있다.

> 차라리 절망絕望을 배워 바위 앞에 섰습니다
> 무수한 주름살 위에 비가 오고 바람이 붑니다
> 바위도 세월이 아픈가 또 하나 금이 갑니다
>
> ―「바위 앞에서」 전문 *시집 『휴화산』에서는 제목을 '금'으로 바꾸어 3연 6행시로 바꾸었다. "차라리 절망(絕望)을 배워/바위 앞에 섰습니다//무수한 주름살 위에/비가 오고 바람이 붑니다//바위도 세월이 아픈가/또 하나 금이 갑니다."*

가파른 세상에서 절망을 배워 '바위' 앞에 서 있는 화자는 희망의 반대편에 서 있는 것이 아니라 다만 가혹하고도 위태로운 실존적 형상으로 다가올 뿐이다. 무수한 주름살 위로 비가 오고 바람이 부는 것은 일차적으로는 '바위'의 상황이겠지만 그것은 화자의 실존을 고스란히 환기하는 것으로 전이되기도 한다. 그때 '바위'도 화자와 마찬가지로 세월이 아픈지 또 하나의 '금'을 몸에 새기게 된다. 이렇게 이 시편에서는 고독과 함묵緘黙과 인고가 의미의 연쇄를 이루면서 고고하고도 준열한 시정신을 가진 시인상像이 구축된다. 타협과 굴종을 모르는 인고의 의지가 잘 드러난 것이다. 시인이 나중에 작품 제목을 '금'이라 바꾼 것도 균열을 거듭하면서도 실존적 결기를 지키려는 마음을 담은 것이 아닐까 생각된다. 그래서 이 시편은 "뜻대로 이루어지지 않는 인생살이 길을 단 한 수에 담아 시로 승화시킴에 성공" *이태극, 『시조의 사적 연구』, 삼우사, 1976, 343면.* 하게 된 것이다. 이러한 결기 어린 시정신은 자연스럽게 첨예한 역사의식으로 나아가게 된다.

늙어 누운 나무 병들어 쓰러진 나무
깎아 선 벼랑 끝에 가을바람 울고 가고
빈 다락 석양夕陽하늘에 낡을 대로 낡았다

두어 두어도 백년百年을 못하는 목숨들이
한 나라 흥망興亡에 걸려 싸워 죽은 자리
모래는 희기만 하고 대수풀은 푸르고 —

흔적도 없는 성城터는 차라리 서럽지 않다
창연한 전설傳說을 지니고 외로 남은 의암義岩

저무는 강江가에 서서 잠시 눈을 감는다
—「촉석루矗石樓」 전문

이 작품은 우리 역사의 구체를 통해 분노의 역사의식을 보여준 실례이다. 시편 안에 묘사된 '촉석루'의 외관은, 늙고 병들어 스러진 나무들과 깎아 선 벼랑 그리고 스산한 바람으로 둘러싸여 있다. 화자의 정서가 황량한 쪽으로 몰려갈 가능성이 높은 배경 설정이 아닐 수 없다. 더구나 석양만이 하늘에 낡을 대로 낡은 채로 걸려 있지 않은가. 그래서 그곳은 물리적 유한자有限者인 인간들이 한 나라의 흥망에 걸려 싸워 죽은 자리로 규정된다. 그러니 무상하고 참담할 수밖에 없지 않은가. 하지만 화자는 지금은 흔적조차 없는 성터일지라도 전설로 남아 있는 '의암' 앞에서 눈을 감으며 역사의 흐름을 사유한다. 논개가 촉석루 앞 의암에서 왜장을 끌어안고 강으로 뛰어들었다는 이야기를 배음背音으로 삼으면서, 가열한 저항 정신을 통해 우리 역사의 생채기에 가 닿고 있는 것이다. 이러한 역사의식은 현실 감각을 예각화하면서 새로운 변이형으로 나아가게 된다. 다음 작품을 읽어보자.

그 눈물 고인 눈으로 순아 보질 말라
미움이 사랑을 앞선 이 각박한 거리에서
꽃같이 살아 보자고 아아 살아 보자고

욕辱이 조상祖上에 이르러도 깨달을 줄 모르는 무리
차라리 남이었다면, 피를 이은 겨레여

오히려 돌아앉지 않은 강산江山이 눈물겹다

벗아 너 마자 미치고 외로 선 바람벌에
찢어진 꿈의 기폭旗幅인양 날리는 옷자락
더불어 미쳐보지 못함이 내 도리어 설구나

단 하나인 목숨과 목숨 바쳤음도 남았음도
오직 조국祖國의 밝음을 기약함에 아니던가
일찍이 믿음 아래 가신 이는 복福되기도 했어라
—「바람벌」 전문

이 시편은 "언제나 하늘처럼 가슴을 열어 둔 채/봄바람 있는 곳마다 꽃 피듯이 살랴오"(「그저 오늘로」)에서와 같은 사람들의 소망을 가혹한 시대가 폭력적으로 꺾어버리는 순간을 응시한다. 하나의 핏줄을 타고 났음에도 불구하고 서로 대치하고 있는 엄연한 분단 현실에 대해 사유하고 있는 것이다. 화자는 사랑이 미움에 밀려 있는 각박한 곳에서 "꽃 같이 살아 보자고" 했지만 "눈물 고인 눈"이 되어버린 자신을 발견한다. 분단 현실을 겪는 것이 얼마나 욕된지조차 깨달을 줄 모르는 우리가 "피를 이은 겨레"로서의 면모를 잃어버렸다는 것이다. 그렇게 미치고 외로 선 '바람벌'에서 화자는 "찢어진 꿈의 기폭旗幅인양 날리는 옷자락"을 통해 진한 설움을 노래한다. 하지만 그 설움을 넘어 단 하나인 목숨을 바쳤거나 살아남은 존재들이 한결같이 조국의 밝은 내일을 기약하는 것이 한결 복되다고 노래하기도 한다. 그렇게 이호우는 "저 멀리 트는 동東녘 빛이 한결 거룩"(「새벽」)하다면서 조국의 밝은 미래를 희구하고 있다. 다음 작품의 기운도 그러한 밝은 기품으로 생동한다.

기旗빨! 너는 힘이었다 일체一切를 밀고 앞장을 섰다
오직 승리勝利의 믿음에 항시 넌 높이만 날렸다
이날도 너 싸우는 자랑 앞에 지구地球는 떨고 있다

온 몸에 햇볕을 받고 기旗빨은 부르짖고 있다
보라 얼마나 눈부신 절대絕對의 표백表白인가
우러러 감은 눈에도 불꽃인양 뜨거워라

어느 새벽이드뇨 밝혀든 횃불 위에
때묻지 않은 목숨들이 비로소 받들은 기旗빨은
성상星霜도 범犯하지 못한 아아 다함없는 젊음이여
–「기旗빨」 전문

단단한 힘을 내장한 채 존재 일체를 밀고나간 '기旗빨'은 승리를 위해 높이 휘날리는 모습을 지니고 있다. 그리고 그 '기旗빨'은 햇살 아래에서 부르짖으면서 "눈부신 절대絕對의 표백表白"으로 그리고 "불꽃인양" 뜨거운 존재로 다가온다. 나아가 새벽에 밝혀진 횃불 위에서 "때묻지 않은 목숨들"이 받든 채 그 어느 성상도 범하지 못한 "다함없는 젊음"이 곧 '기빨'의 형상에 따라붙는다. 이렇게 '기旗빨'을 통해 준열한 시정신과 "의지의 가열성" *김윤식, 『(속)한국근대작가론고』, 일지사, 1992, 376면. 김윤식은 이호우와 청마(靑馬)의 작품을 비교하면서, 이호우의 '의지의 가열성'이 청마의 절대 허무정신과 상통한다고 보고, 생명을 향한 의지의 표백에서 남는 것은 '시'도 '시조'도 아닌 정신 자체라고 설명한 바 있다.* 을 노래한 이호우는 자신만의 "아름다운 젊음의 숨결"(「봄」)을 견고하게 지켜간 것이다. 결국 우리는 이호우만의 단단한 실존적 결기와 첨예한 역사의식 그리고 의지의 가열성을 통한 현실 개입의 굵은 음역音域이, 다분히 여성 편향으로 흘러간 우리 근대시조사에서 만나게 되는 이례적 장관이라고 말할 수 있을 것이다.

4. 3연 6행 형식에 실린 다양한 서정

이호우의 두 번째 시집 『휴화산』은 '3연 6행' 형식의 단수를 정착하고 완성한 중요한 결실이다. 정확하게 말하면 이 시집은 '오누이 시조집'인 『비가 오고 바람이 붑니다(휴화산편休火山篇)』이고, 시조선집에 가까운 형태를 갖추고 있다. 제1부에는 첫 시집 이후의 신작들을 실었고, 제2부에는 첫 시집에 실린 것을 형태와 내용에 다소 변형을 가해 재수록하였다. 시집 후기에서 이호우는 "누군가 말하기를 시조는 가락과 의미는 있어도 이미지를 결했다고 말하였다. 유의해야 할 일이라 여겨진다."(「후기」)고 말함으로써 현대시조에서 '이미지'의 중요성을 실감하고 있다. 가령 그것은 "개성적인 경험이 긍정되면서 관념보다 이미지, 사의辭意보다 감각을 내세운 것이 현대시조가 거둔 성과" *박철희, 「한국 시가의 자기동일성」, 『본질과 현상』 2009. 겨울. 212면.* 라는 증언을 떠받치는 실물적 사례로 다가오는데, 다음 시편은 그러한 이호우의 자의식이 반영된 확연한 실례일 것이다.

> 꽃이 피네 한 잎 한 잎
> 한 하늘이 열리고 있네
>
> 마침내 남은 한 잎이
> 마지막 떨고 있는 고비
>
> 바람도 햇볕도 숨을 죽이네
> 나도 아려 눈을 감네.
> ―「개화開花」 전문

이호우의 대표작으로 알려져 있는 이 시편에는 '개화開花'에서 '개벽開闢'으로 그리고 다시 '개안開眼'으로 이어지는 존재와 인식의 확장 과정이 아름답게 펼쳐진다. 한 잎 한 잎 점증漸增하는 개화 과정 속에서 화자는 그것이 곧 "한 하늘이 열리고" 있는 것과 등가임을 토로한다. 이제 "마침내 남은 한 잎"조차 떨면서 마지막 고비를 넘기는 순간, 바람도 햇볕도 숨을 죽이고 화자도 눈을 감는다. 눈을 감는 행위는 맹목이 되어가는 과정이 아니라 우주적 진실에 눈이 아려 눈을 뜨게 되는 과정을 함의한다. 이렇게 시인은 꽃이 피는 것을 존재의 확대 과정으로 치환하면서 격조 높은 "한 하늘"의 모습을 보여준다. 초기시로부터 꾸준히 이어온 사물과 내면의 접속 과정이 역시 이 시편의 형상화 원리를 형성하고 있다 할 것이다.

일찌기 천千 길 불길을
터뜨려도 보았도다

끓는 가슴을 달래어
자듯이 이 날을 견딤은

언젠가 있을 그 날을 믿어
함부로ㅎ지 못함일레.
—「휴화산休火山」 전문

이 돌올한 문제작은 이호우 서정의 궁극적 귀결점을 선연하게 암시해준다. '휴화산'은 안으로는 뜨거운 용암을 간직하고 있지만 발화發話/發火의 휴지기를 오래도록 가지고 있다. 오래 전에 이미 천길 불길을 터뜨려 보았지만 지금은 끓는 가슴을 달래어 오랜 시간을 견디고 있는 것이다. 화자는 그 재폭발의 가능성으로 인해 "언젠가 있을 그날"을 믿고 있는데, 그렇게 자신의 내면과 등가물인 '휴화산'을 일치시켜간다. 그런데 여기서 화자는 "함부로ㅎ지 못함"에 대해 이야기한다. 내면에 들끓는 뜨거움을 함부로 다룰 경우에 발생하는 역작용에 대해 경계하면서 바로 그 "함부로ㅎ지" 않은 상태야말로 시조 미학이 가 닿아야 할 내연內燃의 경지라고 노래하는 것이다. 이 '함부로 하지 않음'의 정신이 바로 이호우 시정신의 고갱이라 할 것인데, 그 정신은 "여기 한 사람이/이제야 잠 들었도다//뼈에 저리도록/인생人生을 울었나니//누구도 이러니 저러니/아예 말하지 말라."(「묘비명墓碑銘」)와 같은 뜨거운 언어와 맞닿고 있다. 말할 것도 없이 여기서 '끓는 가슴'은 시인으로서 가지는 자의식이기도 하다. 이처럼 「휴화산休火山」은 이호우 시조의 심층적인 서정을 보여주는 중요한 작품이 아닐 수 없다. 더 다양한 서정의 실례를 들여다보자.

몹시 추운 밤이었다
나는 '커피'만 거듭하고

너는 말없이 자꾸
성냥개비를 꺾기만 했다

그것이 서로의 인생人生의
갈림길이었구나.
-「회상回想」 전문

이 로맨틱한 시상과 언어는 이호우 시편 가운데 가장 "인간적인 면모가 두드러진 작품" *박기섭, 『가다 만 듯, 아니 간 듯』, 만인사, 2012, 23면. 박기섭은 이 작품으로 하여 이호우의 다면경 같은 시세계가 입증된다고 하였다.* 으로 다가온다. 겨울밤 마주앉아 서로 다른 길로 접어드는 두 연인이 있다. 한 사람은 몹시 추운 탓인지 커피만 들이켜고 있고 다른 한 사람은 말없이 성냥개비만 꺾으면서 그 사이로 늦은 밤 시간이 흘러간다. 이렇게 '나'와 '너'는 "서로의 인생人生의/갈림길"에서 헤어지고 만다. 비록 가벼운 소재 처리이지만 단아하고 속 깊은 서정이 마음을 울린다. 시인은 다른 곳에서 "겨울은 절지絕

地인양/바람보다 고독이 춥다"(「겨울」)고 했지만, 이 작품에서는 '고독'을 넘어 따뜻한 '회상'에 이르는 과정을 잘 보여준다.

기껏 북악北岳에 올라
서울을 굽어본다

무심한 한 발길에도
흔적없을 개미성城을

연민의 마음 아림에
항시 슬플 신神이여.
—「등고登高」 전문 *『현대시학』1969. 10.*

이 시편은 『휴화산』 발간 이후에 쓴 것으로서 어느 시집에도 수록되지 않은 작품이다. 말년 이호우 시조의 고처高處 지향을 잘 보여주는 사례이다. 화자는 북악이라는 고처에 올라 서울을 굽어보면서 그 문명의 집결지를 "무심한 한 발길에도/흔적없을 개미성"으로 묘사한다. 원경遠景으로 보이는 서울 모습이 '연민의 마음 아림'을 불러일으키는 순간, 이러한 세계를 창조한 "항시 슬플 신"을 불러본다. 고처 지향이 탈속의 포즈로 나아가지 않고 세상에 대한 지극한 연민으로 화하는 순간이다. 이렇게 이호우는 후기시로 갈수록 '3연 6행' 형식에 실린 다양한 서정의 세계를 보여주었다. 이호우는 전체 시세계를 통해 사설시조 한

편 남기지 않을 정도로 오로지 정격正格에만 충실했다. 그 장인匠人이 구축하고 실천하고 쌓아올린 형식 미학의 극치를 우리 근대시조사는 깊이 기억할 것이다.

5. 이호우 시조의 문학사적 의의

이호우는 그다지 많지는 않지만 자신의 미학과 사상을 담은 산문을 남겨두었다. 주로 생애 후반부에 집중된 이 산문에는 이호우 시학의 뼈대가 되어준 생각들이 편편이 응축되어 있다. 다음에 인용되는 글에는 '시조'에 대한 시인의 메타적 의식이 잘 담겨 있다. 시인은 수백 년 동안 우리 선인들이 즐겨온 시조가 소외당하는 문단 실정을 비판하면서, 일본의 단가나 하이쿠俳句의 육성과는 달리 우리는 맹목에 가까운 사대적 자세를 가졌다고 비판한다. 그리고 우리가 오랫동안 지녀온 유일한 양식으로서의 시조를 제대로 살리고 가꾸지 못하면서 민족문학을 논하는 것은 어불성설이라고 말하고 있다.

> 우리 시조가 남에 비해 적잖은 결함을 지녔는지 모르겠다. 비록 그렇다 하더라도 한 민족의 문화예술이 그 민족의 오랜 정서의 생활과 체험과 역사를 바탕해서 이룩된 것일진대 그 민족문학의 시조가 내포한 실함失陷의 죄책을 시조에 지워서 외면해버리는 일은 타당한 일이라 할 수는 없을 것 같다. 오히려 민족 전체가 나누어지고 한결 다듬어 가꾸어서 민족 시조로서 빛을 내게 해야만 하지 않겠는가 여겨지는 일이다. 시조가 지니고 있는

현대 시문학으로서의 전진을 저해하는 정형과 그에 따른 음악성은 암송을 전제하는 국민시가의 형태와 성질에 있어서는 도리어 불가결의 요소이기도 한 것이다. 만약에 한 민족에 있어서 범국민적 국민시가의 존재성과 그 효능성이 부인되지 않고 부인될 수 없는 일이라면 보다 더 시조에 대한 민족적 애호와 육성의 성의誠意 경주가 있음직한 일이다. *이호우, 「민족시가로서의 시조」, 『효성여자대학보』, 1968. 11. 1.*

비록 '시조'가 일정하게 양식적 한계를 가지고 있더라도 그것을 역이용하여 "민족의 문화예술"로 상승시키자는 기획이 이호우의 생각 안에 들어 있다. 그것은 민족의 오랜 정서의 생활과 체험과 역사를 바탕으로 이룩된 것이기 때문이다. 따라서 이호우는 "민족 시조"로서 빛을 내게 함으로써 시조를 "현대 시문학"으로서 전진하게 하자고 제언한다. 이 가운데 이호우는 시조가 지닌 '음악성'을 중시하면서 범국민적 국민시가의 존재성과 그 효능성을 강조한다. 이러한 생각은 그에게 민족문학으로서의 시조에 대한 강한 자긍과 신념의 지속성을 허락하는데, 일찍이 한 작품에서도 "내 시조時調는 나의 염불"(「염불念佛」)이라고 말한 그의 메타적 의식이 여기 잘 담겨 있다. 근대 자유시가 율격을 등한시하자 시조야말로 자유시가 놓치고 지워버린 것들 곧 정격에 충실하면서도 다양하게 변용된 율격, 시상의 견고한 안정성, 우리 것에 대한 새삼스런 발견 등을 회복할 중요한 거점이 된다는 것이다. 그때 독자들의 기대 지평이 충족될 수 있다는 것이 이호우의 생각이었던 것이다.

> 민족 자주성을 가지고 지킨다는 것이 무조건 우리 것만을 또는 재래의 것만을 고정하는 것만이 아니고, 비록 남의 것이라 하더라도 우리 체질에 동화될 수 있는 좋은 것은 받아들여서 나의 영양으로 삼아야 함은 물론이다. (…) 비열한 자기비하보다는 차라리 교만에 가까워도 자긍이 아쉽기만 하다. *이호우, 「문화의식」, 『대구매일신문』, 1967. 5. 28.*

그가 강조하는 주체적 미의식에 대한 자긍은 이처럼 그만의 시조 미학을 지속적으로 일구어가는 가장 중요한 발생론적 수원水源이 되어준 것이다. 이호우는 "우리는 가장 주변적이고 작고 손쉽게 고칠 수 있는 시점에서부터 바로잡아가야만 하리라 믿는다." *이호우, 「작은 바로잡기」, 『대구매일신문』, 1967. 7. 2.* 라고 말한다. 그러니 조그만 것부터 고쳐가자는 그의 말은 시조 미학의 주변화를 극복해가자는 미학적 제언으로 다가오는 것이다.

주지하듯, 근대문학사는 근대적 주체들의 사상적, 정서적 자율성에 근간을 둔 작품들로 구성된다. 말할 것도 없이 시 쪽에서도, 근대적 주체의 자율성을 내용으로 하는 측면과 시적 주체의 자유로운 호흡을 형식으로 하는 측면이 결합되어 이르는바 근대시의 역사를 이어왔다. 따라서 정형률을 취하는 시조는 극복의 대상이 되어왔고, 근대 자유시가 주류적 양식으로 부상하게 되었다. 물론 이 같은 문학사적 진행을 두고 근대적 발전의 진화론적 모형일 뿐이라 단정할 수도 있겠지만, 시조의 입장에서는 간단치 않은 자기 갱신의 요청을 받지 않을 수 없게 된 것이다. 이러한 근대적 갱신을 요청 받는 상황에서 남다른 활력을 시조 안으로 불어넣은 기억할 만한 시조 시인들이 있었다는 점은, 우리 근대문학사의 균형과 풍요로움을 위해서도 적잖이 다행스런 일이다. 이러한 근대문학사의 요청에 미학적 탁월성으로 응답한 이로 우리는 이호우를 대표적으로 기억할 수 있을 것이다.

그만큼 근대문학사에서 이호우 시조가 차지하는 역사적 위상은 각별한 것이다. 그의 작품 세계는 우리의 눈을 밝게 하는 우수한 시적 고갱이로 충일할 뿐더러, 그의 언어는 근대를 살아간 우리의 마음속에 사유와 감각, 서정과 인식, 전통과 근대의 심미적 결절을 보여준 뜻 깊은 사례가 되었기 때문이다. 감각적이고 활달한 세계를 보인 그의 시적 기상은 시조라는 양식이 고루한 중세의 산물이 아니라, 근대문학사에서도 충분히 민족적 정체성과 문학적 위의를 동시에 지켜갈 수 있는 양식임을 경험케 해주고 있다. 이렇게 이호우의 시조문학사적 위상은 "고대 창사로서의 시조를 현대문학 속으로 안주" *민병도, 앞의 글, 173면. 민병도는 이호우 시조가 소재나 주제 등 내용적인 면에서 확연한 차별화를 이루었지만 특별히 형식의 창조적 계승과 끊임없는 개작과 퇴고를 통한 투철한 시정신이 이호우만의 독보적 면모라고 지적한 바 있다.* 시키면서 우리 현대시조의 가능성을 두루 보여준 것으로 모아진다. 그 실질은 다양하고도 너른 서정의 편폭, 준열한 시정신과 의지의 가열성, 3연 6행 형식에 실린 다양한 서정으로 축약할 수 있다. 이제 그 가멸찬 세계를, 그의 탄생 100년을 맞아, 우리가 깊이 기억하고 흠모하고 기리려고 하는 것이다.

참고문헌

강호인, 「이호우 시조 연구」, 경남대학교 석사학위논문, 1993.
김윤식, 『(속)한국근대작가론고』, 일지사, 1992.
김종, 「이호우론」, 『현대시조』 1991. 가을.
민병도, 「시조의 새로운 해석과 창조적 계승」, 『문학사상』 2012. 3.
박기섭, 『가다 만 듯, 아니 간 듯』, 만인사, 2012.
박철희, 「한국 시가의 자기동일성」, 『본질과 현상』 2009. 겨울.
염창권, 「이호우 시조 연구」, 한국교원대학교 석사학위논문, 1990.
유성호, 『한국 현대시의 형상과 논리』, 국학자료원, 1997.
이우종, 「호우와 초정」, 『시조문학』 1978. 겨울.
이호우, 『이호우시조집』, 영웅출판사, 1955.
　　　『휴화산』, 중앙출판사, 1968.
이태극, 『시조의 사적 연구』, 삼우사, 1976.
임종찬, 「단수 정신과 시상의 함축 – 이호우 시조」, 『현대시조론』, 국학자료원, 1992.
예병태, 「이호우론」, 『한국시조작가론』, 국학자료원, 1999.
정혜원, 「현대시조의 새로운 위상 제시–이호우론」, 김제현 외, 『한국 현대시조 작가론』, 태학사, 2002.

유성호
연세대학교 국문과 및 동대학원 졸업(문학박사). 서울신문 신춘문예 문학평론 당선. 한양대학교 교수, 인문대학장 역임.
문학평론집 『침묵의 파문』, 『정격과 역진의 정형 미학』, 『서정의 건축술』 외.
김달진문학상, 김환태평론문학상, 인산시조평론상 등 수상.

이호우 시조에 나타난 생명의 미학

최 서 림 | 시인, 서울과학기술대학교 문예창작학과 교수

I. 머리말

현대시조의 새로운 가능성을 시험함에 있어서 최고의 정점을 달성한 *김윤식, 「주자학적 세계관과 시조양식」, 『한국근대문학사상사』, 한길사, 1984, p.514. 임종찬, 「단수정신과 시상의 함축」, 『현대시조론』, 국학자료원, 1992, p.175.* 이호우의 시조에 대해서는 이제 어느 정도 연구성과가 축적되었다. 이호우 시조가 이룩한 새로운 성과는, 먼저 김윤식의 지적대로, *김윤식, 「이호우론」, 『현대시학』, 현대시학사, 1970.8, p.100.* 시정신의 가열성이 빚어낸 문학적 높이에서 찾을 수 있을 것이다. 그의 말대로 이호우 시조의 정신적 가열성은 두 가지로 수렴된다. 그 하나는 의지의 강인성이며, 다른 하나는 현실비판의 정신이다. 바로 이러한 정신의 가열성 때문에 이호우는 초기 가람의 마력에서 벗어나 독자의 시조학을 펼칠 수 있었다.

주지하다시피, 이호우의 출발점은 가람의 시조학이다. 역시 주지하다시피, 가람의 시조학은 문인화정신에 닻을 내리고 있는 풍류의 미학에서 출발한다. 풍류의 미학은 다름 아닌 생의 즐김, 여유에서 가능한 것이다. 일제시대 정치 · 경제 · 문화적으로 모든 것이 차단 억압된 상황에서 삶을 즐기고, 생의 이치를 즐기는 도락적 예술행위가 가람 시

조학의 원점인 셈이다. 데뷔할 무렵 이호우 역시 가람의 마권 *김윤식, 「주자학적 세계관과 시조양식」, p.515.* 에 사로잡혀 있었음은 데뷔작 「달밤」을 보면 알 수 있다. 이 작품은 4연으로 된 연작인데, 낭만적 서정시로 되어 있다. 그리고 그 미학사상이 완전히 가람에 닿아 있다. 가람이 이 작품을 칭찬하는 이유는 다음과 같이 명약관화하다. 그는 "새롭고 깨끗하고 술술하다. 아무 억지도 없고 꾸밈도 구김도 없다" 그리고 "시를 짓는 이가 무슨 엉뚱한 굉장한 소리를 하려고 애를 쓰기도 한다. 그럴 때에는 도리어 잡치고 만다. 시는 그런 야심보다도 그 영감을 얻어야 한다" *가람, 「시조선후」, 『문장』 제2권 제6호, p.197.* 라고 쓰고 있다. 이는 바로 김윤식의 지적대로, *김윤식, 앞의 글, p.513.* 억지로 꾸밈이 없는, 자연스러운 율격이나 호흡의 흐름만 있으면 형식이야 어떻든 큰 문제일 수 없다는 것, 그리고 그런 자연스러운 흐름 때문에 가람 자신보다도 더 '형식초과'적인 연작으로 나아간 것을 기리었던 것이다.

그러나, 이호우는 이러한 가람의 마권으로부터 벗어날 수 있었다. 그리고 여러 논자들이 지적한 대로, *김윤식, 「주자학적 세계관과 시조양식」. 임종찬, 앞의 글. 신용대, 「이호우 시조의 연구」, 고려대 교육대학원 석사논문, 1977. 주강식, 「이호우 시조의 미적 구조」, 『부산교대논문집』 제25집 1호, 1989.* 이호우가 그렇게 할 수 있었던 것은 그의 시정신이 워낙 치열했기 때문이다. 그리고 그 치열성은 곧바로 역사 현실과의 긴장된 대결의식에서 빚어진다. 그리고 그 치열한 시정신은 곧바로 완결된 단수지향 정신으로 귀결된다. 김윤식은 이호우의 이러한 단수單首정신이 가람식의 사장파적인 선비의식과 결별한 이호우 그 다운 도학파적인 선비의식 때문이라고 진단한 바 있다. *김윤식, 앞의 글, p.516.*

그런데, 기존의 논의들이 한결같이 전 · 후기시조의 변화와 그 원인을 지적하면서도, 전 · 후기를 일관하여 흐르는 시정신의 핵심사상을 드러내는 데까지는 나아가지 못했다. 필자는 본고에서 이호우 시조에서 전 · 후기의 변화양상을 하나의 일관된 관점으로 해석해보려 한다. 근본적으로 동일한 미학사상이 시대와 환경에 따라 다르게 발현되었음을 밝혀보고자 하는 것이다. 미리 말을 하자면, 그의 시조 속에 일관하여 흐르는 생명사상이다. 그리고 이 생명사상은 유가적인 미의식에서 도출된 것이다.

Ⅱ. 이호우 자연시와 생명사상

앞에서도 말했듯이, 이호우는 전통 서정적인 시조를 쓰다가 현실비판에 입각한 사회역사시로 전환해 갔다. 그리고 그의 자연시 역시 초기의 순수 자연시에서 인생론적 자연시로 바뀌어 갔다. 주강식, 「이호우 시조의 미적 구조」. 필자는 제 Ⅱ장에서 그의 자연시를 순수 자연시와 인생론적 자연시로 나누어 양자의 미학적 태도와 사상을, 그리고 그 변천을 살펴보고자 한다.

1. 순수 자연시

이 시기의 자연시는 데뷔 이후부터 해방 이전까지 쓰여진 전통적인 서정시이다. 김윤식의 말대로, 가람의 마법에 사로잡혀 있을 때의 시조이다. 그리고 그것은 바로 서정적 정한의 세계이다. 문무학, 「이호우 시조 이

해를 위한 전제」, 『개화』, 이호우시조문학상 운영위원회, 1992, p.39.

낙동강 빈 나루에 달빛이 푸릅니다
무엔지 그리운 밤 지향없이 가고파서
흐르는 금빛 노을에 배를 맡겨 봅니다.

낯 익은 풍경이되 달 아래 고쳐 보니
돌아올 기약없는 먼 길이나 떠나온 듯
뒤지는 들과 산들이 돌아돌아 뵙니다.

아득히 그림 속에 정화된 초가집들
할머니 조웅전趙雄傳에 잠들던 그날밤도
할버진 율律지으시고 달이 밝았더니라.

미움도 더러움도 아름다운 사랑으로
온 세상 쉬는 숨결 한 갈래로 맑습니다
차라리 외로울망정 이 밤 더디 새소서.
—「달밤」 전문

앞서 말한 대로, 이 작품은 그의 시세계의 출발점을 나타낸다. 이 작품에서 자아와 세계는 갈등과 대립을 보여주지 않고 하나로 융해되어 조화를 이루고 있다. 즉 자아와 세계는 동일성을 확보하고 있는 소박한 서정의 세계를 이루어 내고 있다. 여기에 등장하는 시적 자아는 소박한 성격을 지니고 있으면서 동시에 모든 것을 긍정적으로 수용하는 태도를 보이고 있다. 이때 시인은 소위 '소박한 시인'이다. 쉴러에 따르면, '소박한 시인'은 세계를 변혁시키고자 꿈꾸지 않고 자기 속에 움직이는 자연상태에 머무르며 현상을 충실히 모방하는데 그친다. *쉴러, 「소박문예와 정념문예」, 하기락, 『미와 예술의 역사』, 계명대출판부, 1985, p.59에서 재인용.* 앞에서도 말했듯이, '굉장한 그 무엇'을 말하려 하지 않고, 아무 억지도 꾸밈도 구김도 없이 술술하게 썼다. 이는 삶 자체를 긍정하고 자족적으로 즐기려는 태도에서 빚어진 것이다.

먼저 제1연에서 보듯이 서정적 자아는 주위 자연과 완전히 하나로 동화되어 있다. 자족적인 삶, 소박한 삶에서 바로 이러한 대상과의 조화가 가능하다. 낙동강 빈 나루에 달빛이 푸르다. 이때 푸른빛은 자아와 세계를 구별 짓지 못하게끔 하나로 융화시켜주는 매개체로서의 빛깔이다. 이 빛깔은 슬픈 색조를 띠며 우수를 동반한다. 인간과 자연이 깊은 곳에서 하나로 융화되면 그런 우수의 감정이 일어나게 된다. 그리고 시적 자아는 무언가 그리워지는 밤에 지향 없이 가고파서 흐르는 금빛 노을에 배를 맡겨 본다. 배가 흘러가는 대로 맡겨둔다는 것은 이미 의지로써 자연과 어떻게 해보겠다는 것을 넘어선 태도이다. 자연 속에 자신을 완전히 방치해 두는 것, 그렇게 해도 조금도 불안하지 않고 오히려 더 평안을 얻는 것이다. 이는 자연과 시적 자아가 생명적으로 연속적인 감정을 갖기 때문이다. 인간이 자연에 대해 두려움을 갖는 것은 그가 자연으로부터 격리되어 있다고 느끼기 때문이다.

이렇게 시적 자아가 자연과 생명적으로 하나로 합일된 모습은 제3연에서 보다 더 확연히 드러난다. '아득히 그림 속에 정화된 초가집'이 그러하다. 그리고 조웅전을 읽고 있는 할머니와 율을 짓고 있는 할아버지는 달밤과 생명적으로 완전히 하나이다. 이때 할아버지와 할머니는 이호우 자신의 친조부모일 것이다. 그는 어릴 적 할아버지 밑에서 자랐다. 아버지는 관직에 있어서 전출입이 잦아 한 곳에 정주할 수 없었기 때문이다. *신용대, 앞의 논문, p.8.* 그런데 할아버지는 전형적인 한학자로서 이호우에게 한학적인 분위기를 어릴 적부터 조성해주었다. 이러한 분위기는 이호우로 하여금 일찍부터 유교적인 삶의 기율과 미의식을 습득하게 해주었다. 이호우 초기시에 보이는 이러한 자연친화적인 서정시편들은 바로 유가적인 자연관에서 빚어지는 것임을 앞으로도 계속 살펴볼 수 있을 것이다.

봄을 마주해 서니 마음 자꾸 어려만지네
한때는 화려턴 화단花壇 꽃 한송이 다시 피라
가난한 세월 다 잊고 나비처럼 살려네

한송이 꽃이로되 하늘과도 같은 정은 *이호우는 제2시집 「휴화산」에서 이 작품의 제2연 제1행의 '情'을 '은혜'로 개작했다. 이것은 자연이 지닌 생명력의 고마움을 더 크게 드러낸 것으로 보인다. 또한 이것은 시인이 나이가 들어 자연의 생명력에 좀 더 눈을 떴기 때문이다.*

송두리 남은 것을 젖어산들 다 하리오
한 가슴 고이 가꾸어 늘 봄하여 살려네
–「작은 소원所願」 전문

이호우에겐 봄을 소재로 한 시조가 많다. 그리고 이러한 작품들에서는 거의 다 봄날에 느끼는 생명력의 충일함을 노래하고 있는 것이 보인다. 위의 작품에서도 시적 자아는 자연과 더불어 자신의 삶을 즐기고 있다. 그것은 자연과 더불어 자아의 생명력이 고양되었기 때문이다. 봄을 마주해서 서니 마음이 자꾸 어려진다는 데서 젊음의 소생을 가능케 하는 봄의 생명력을 읽을 수 있다. 그런 상태에서는 가난한 세월을 다 잊고 나비처럼 자유롭게 살 수 있을 것이다. 이러한 생명력의 고양과 그것의 즐김은 제2연에 오면 더욱 극적으로 나타난다.

한 송이 꽃에 지나지 않는 것이 하늘과도 같은 정情을 주고 있다. 이는 꽃 한 송이에서도 우주의 생명력과 그것의 기운찬 아름다움을 느낄 수 있다는 뜻이다. 그러기에 그런 생명적인 즐거운 분위기에 젖어 여생을 보내고 싶다는 것이다. 이처럼 위 시조에서는 자연과 자연의 일부인 시인 자신의 생명력을 즐기고 있은 것을 볼 수 있다. 이처럼 이호우 초기 서정시조들은 대체로 인간과 자연이 생명적으로 교류하며 서로 즐기고 있는 것, 즉 '생명의 미' *'생명의 미'에 대해서는 방동미의 다음 책을 참조할 것. 方東美(정인재 역), 『중국인의 인생철학』, 탐구당, 1992. p.166.* 를 주제로 하고 있다. 이러한 생명의 미는 다음 작품에서도 여실히 드러난다.

> 석양 긴 못둑에 벚꽃이 한철이고
> 바람 품은 버들 실실히 흐르는데
> 길 묻는 손을 보내고 낙시 고쳐 던진다
> –「춘당春塘」 전문

이 시조에서도 봄을 맞이한 자연의 생명력과 그것을 즐기는 시적 자아의 모습이 보인다. 그리고 이때 자연과 자아는 생명적으로는 완전히 하나가 되어 있다. 제3행에서 우리는 그러한 물아일체에 이른 모습을 볼 수 있다. 그런데 이런 물아일체화 된 상황은 바로 '정적'의 공간에서 일어남을 알 수 있다. '석양 긴 못둑'이 바로 적막할 정도로 한가롭고도 정적한 공간이다. 이때 만발한 벚꽃은 그 정적을 더해주고 있다. 바람 품은 버들이 실실이 흐를 정도로 정적함은 강조되어 있다. *전통지향적인 자연시에서의 '정적미'에 대해서는 필자의 논문을 참조할 것. 최승호,「1930년대 후반기 시의 전통지향적 미의식 연구」, 서울대학교 대학원 박사학위논문, 1994.* 이처럼 이호우 초기 서정적 자연시는 매우 정적한 공간에서 자연과 시적 자아의 생명력의 활발한 움직임을 보여주고 있다. 그리고 그런 상태에서 양자는 생명력을 즐기며 상호 확산적으로 교감하고 있다.

위와 같은 정적한 공간에서 자아와 세계간의 생명력의 교감과 그것의 즐김을 나타내는 시는 어떠한 사상적 미학적 기반 위에 구축되어 있는가?

채 맞아 쓰러진 파리 바스시 일어난다
미미한 버래인들 목숨이 다르리오
홀연히 애처로운 정情 채를 던져 버렸다

남을 남으로 하여 나를 달리 하였도다
일만一萬 살음이 이 모두 내 아닌가
햇빛이 선뜻 창窓에 밝으며 낮닭소리 들린다

—「영일永日」 전문

이 시에서는 만물이 다 각기 고유한 생명을 가지고 있으며, 그 생명은 모두 소중하다는 메세지를 읽을 수 있다. 그런데, 시적 자아가 자신의 생명의 소중함을 인식하게 되는 것은 다른 개체의 생명을 통해서이다. '남을 남으로 해서 나를 달리 하였도다'에서 그것을 읽을 수 있다. 그런데, 이때 다른 개체는 미물인 파리이다. 즉, 파리 목숨을 통해서 자신의 목숨의 소중함을 인식하게 된다. 그런데 여기까지만으로서는 그의 사상의 정체가 충분히 드러나지 않는다. 제2연 제2행에서나 비로소 그 정체가 확연해진다. '일만一萬 살음이 이 모두 내 아닌가'는 바로 만물일체 사상이다. 유가들은 만물이 서로서로 생명적으로 연결되어 하나임을 역설하고 있다. 이는 바로 일기一氣 사상 때문이다. 만물은 일기一氣의 일부로서 각자 고유한 생명력(기氣)을 가지고 있으면서도 일기一氣의 회전운동에 의해 연결되어 있음을 말하고 있다. *야마다 케이지(김석근 역), 『주자의 자연학』, 통나무, 1991, p.159.* 이러한 만물일체 사상은 중국을 비롯한 동양 유학자들에게는 보편적인 견해이다. 여기서는 간단히 장횡거張橫渠의 입장을 예를 들어 보자.

> 하늘을 아버지라 하고 땅을 어머니라 한다. 나의 이 작은 몸이 그 사이에 있다. 천지 안에 가득 차 있는 것은 본래 나의 몸이요, 천지를 이끄는 것은 나의 본성이다. 만민은 나의 동포요, 만물은 나의 친구들이다. *張橫渠, 「西銘」, 곽신환, 『주역의 이해』, 서광사, 1990, p.113*

에서 재인용.

이처럼 이호우 시조의 미학은 바로 유가적인 미의식에 뿌리를 내리고 있음을 알 수 있다. 그것도 유가적인 형이상학적 생명사상에 기반을 둔 미의식에 닻을 내리고 있음을 알 수 있다. *유가적인 형이상학적 생명사상이란 용어는 방동미 철학에다 정인재가 붙인 이름이다. 方東美, 앞의 책, p.214.*

2. 인생론적 자연시

앞에서도 말했듯이, 이호우의 자연시는 초기 순수 전통자연시에서 인생론적 자연시로 변모해 갔다. 순수 전통자연시라 함은 서경적인 대상 묘사가 위주로 되고 거기에다 주관적 정서 표현이 가미된 것이다. 이른바 정경교융情景交融을 이상으로 한 서정시이다. 이것은 조선조 때까지 시조의 중요한 특징이다. 그리고 그 전통은 가람에게까지 그대로 이어져 와서는 더욱 심화되어 갔다. 그런데 이호우에게 와서는 사정이 많이 바뀌기 시작한다. 초기에는 서경적 묘사를 위주로 한 자연시를 쓰다가 나중엔 인생론적 의미가 투영된 자연시로 바뀌어져 간 것이다. 이러한 인생론적 자연시는 초기시와 후기 역사 현실비판 의식을 기저로 한 참여시와의 중간에서 가교 역할을 한 것으로 보인다.

남아 난 山과 草原
그나마 풀만 뜯어

뉘와도 걸림없이
오히려 외로움을

솔바람 잎 지는 소리에도
귀를 세워 삶이여.
–「사슴」 전문

위의 시조는 자연을 대상으로 하고 있으면서도 순수 자연시는 아니다. 순수 자연시란, 앞에서도 말한대로, 객관대상과 주관정서 사이의 교감을 위주로 하지 거기에다 어떤 인생의 의미를 붙이지 않기 때문이다. 이병기가 배격하던 '어떤 의미'를 이호우는 여기에서 시도하고 있다. 그러나 그것이 아직은 자연시이기 때문에 사회역사시 같이 '굉장한 엉뚱한 소리'까지로 나아가지는 않았다.

위의 작품에서 '사슴'은 이호우 자신의 인격을 투영한 것에 다름 아닙니다. 그 사슴은 전쟁 통에도 남아 난 산과 들과 초원에서, 그나마 풀만 뜯고 있는 외로운 짐승이다. 이 짐승은 대자연에서 유유자적하면서도, 즉 자유를 만끽하면서도 무한한 고독감에 빠져 있다. 그것은 솔바람 잎 지는 소리에도 귀를 세우고 사는 데서 보인다.

실제 이호우 자신을 상징하는 사슴은 도시에 사는 외로운 짐승이다. 도시에 살면서도 초원에서 홀로 풀을 뜯고 있는 사슴으로 자신을 비유하고 있다. 세상이 타락할 대로 타락한 상태에서 그 누구와도 인간적인 만남의 의미를 상실한 채 고독하게 자기 자신을 지켜나가겠다는 의지의 표명이다. 이는 「잡초제거론」을 주장하여 문단에서 사이비 시인과의 상종을 거부했던 곧고 강직했던 성품에서 비롯되어지는 것이다. *신용대, 앞의 논문, p.26.* 그리고 이는 해방 후, 소위 유가적인 현실참여인 '出'의 상황에서, 현실변혁을 위해 분투하다가 가끔 회의를 느끼고 다시 '處'의 상태를 꿈꾸고 있음을 나타낸 것으로 볼 수 있다. 세속 도시에서의 역사적인 영역에서의 삶의 피폐함, 즉 생명력의 손상을 대자연에서 회복하고 싶어 하는 염원과 연결되어 있음을 알 수 있다. 이러한 고고한 생명력에의 의지는 다음 작품에서도 그대로 읽어낼 수 있다.

날라 창궁蒼穹을 누벼도
목메임은 풀길 없고

長松에 내려서서
외로 듣는 바람소리

저녁놀 긴 목에 이고
또 하루를 여위네
—「학」 전문

도시에서의 대사회적 활동에서 생명력에 손상을 입은 시인(학)은 이제 하늘로 날아 창공을 누빈다. 그러나 창공을 날아도 목메임을 풀길 없다. 이때 창공은 실현될 수 없는 이상적 세계이다. 그러다가 학은 지상으로 내려와서 스산한 바람소리를 홀로 듣고 있다. 이때 지상은 창공과 대립되는 혼탁한 현실세계이다. 이처럼 시적 자아는 이상세계에도 이를 길 없고 현실세계에서도 상처만 받는다. 이런 상황에서 저녁놀을 긴 목에 이고 또 하루를 여윈다. 즉 생명력이 심히 위축된 가운데 쓸쓸한 하루하루를 보내고 있다. 이처럼 생명력이 손상된 가운데 학처럼 고고하게 살고자 하는 생의 의지가 돋보인다. 이처럼 「사슴」과 「학」은 자연물을 소재로 하였지만 순수한 의미에서의 자연시는 아니다. 즉 인생과 깊이 관련된 자연시이다. 이런 의미에서 이런 시들을 인생론적 자연시라 불러도 될 것이다. 이러한 인생론적 의미가 투영된 자연시 중 가장 극적인 것으로 「휴화산」이 있다.

일찌기 千길 불길을
터뜨려도 보았도다

끓는 가슴을 달래어
자듯이 이날을 견딤은

언젠가 있을 그날을 믿어
함부로 ㅎ지 못함일레.
–「휴화산」 전문

이 시조는 휴화산이라는 자연물을 대상으로 하였다. 그러나, 이것도 전통 자연시와는 전혀 다르게 인생론적 의미가 강하게 투영되어 있다. 이 시조 속의 '휴화산'은 인간적 사회적 역사적 이상을 향해 노력하는 열정을 지닌 시적 자아의 모습을 보여주고 있다. 그런 휴화산은 옛날 어느 땐가 불길을 터뜨리고 지금은 끓는 가슴을 달래어 잠자듯이 이 날을 견디고 있다. 이처럼 인생론적 의미가 담겨진 시조들에서는 한결같이 자아의 '견딤'이 드러난다. 이 견딤은 언젠가 있을 그날을 믿기 때문이다. 그러기에 지금 당장 함부로 하지 못하고 있다. 지금은 비록 생명력이 꺾여 있으나 언젠가 좋은 날에 다시 생명력을 회복하여 불길을 터뜨려 보겠다는 생명의 의지를 발산하고 있다.

이와 같이 이호우의 인생론적 자연시에도 순수 자연시와 마찬가지로 생명사상이 일관되게 흐르고 있음을 볼 수 있다. 이때의 생명력은 사회적 조건이 불리하여 손상되어 있다. 그러나 언젠가 다시 올 그날을 믿어 견딤으로써 생명력을 기르고 있다고 할 수 있다. 이러한 생명사상에 입각한 인생론적 자연시로는 사군자를 다룬 것들도 있다.

아프게 겨울을 비집고
봄을 점화点火한 매화梅花

동트는 아침 앞에
혼자서 피어 있네

선구先驅는 외로운 길
도리어 총명이 설워라
—「매화梅花」 전문

곳 따라 매듭지어

헤플까 가다듬고

안으로 가꾼 여백
휘일망정 이겨 서서

옥같이 생애를 다루어
철 다를 줄 몰라라
—「죽竹」 전문

앞의 시 「매화梅花」에서는 매화를 매개로 한 서정적 자아의 강한 생명에의 의지가 보인다. 아프게 겨울을 비집고 봄을 점화하는 매화는 강력한 생명력을 가진 존재이다. 다른 동식물들은 모두 생명력이 위축되어 있는데 매화만이 동트는 아침 앞에 혼자서 외롭게 피어 있다. 이것은 시대의 선각자로서 고군분투하는 시인의 정서가 투영된 것이다. 홀로 생명의지를 불태우는 것이기에 도리어 총명이 외롭고 서러우리라.

뒤의 시 「죽竹」에서도 강인한 생명력이 잘 나타나 있다. 강인한 생명력은 옥같이 생애를 다루어 철 다를 줄 모르는, 변함없는 지조에서 잘 나타난다. 삶이 옥玉같을 수 있으려면 지조를 지키는 강인한 생명력 없이는 불가능하다. 이 강인한 생명력 때문에 휘일망정 꺾이지 않고 이겨 설 수 있게 된다. 따라서 그런 여유로움으로 인해 안으로 여백을 지닐 수 있게 된다. 이런 여백을 가진 생애는 다른 사람들을 다치지 않으려고 '아플까' 스스로를 가다듬는다. 이것은 바로 유가적인 생명사상에서 도출된 것이다. 유가적 생명사상은 만물이 저마다 품수한 생리生

理를 최대한 발현토록 하는 것이다. 바로 거기서 미, 생명의 미를 찾는 것이다. 이러한 유가적인 생명사상은 이호우의 사회역사시에서도 그대로 나타난다.

Ⅲ. 사회역사시로의 전환

지금까지 살펴본 바대로 이호우의 자연시가 주로 유가적인 생명사상에 바탕을 두고 있음을 알 수 있다. 그리고 그것들은 주로 자연과 인간 간의 생명적 교류에 뿌리를 내리고 있거나, 인간과 자연물이 지닌 생명력의 존재방식과 관련되고 있었다. 그리고 이 자연시들은 초기에는 순수 자연시로 후기에는 인생론적 자연시로 나누어지긴 해도 한결같이 사적私的인 '처處'의 생활에다 초점을 맞추고 있었다. 그런데 유가들은 언제나 때가 좋아지면 '출出'하여 공적公的 생활로 나아가게 된다. 이는 바로 시중時中 사상에 의한 행동철학인 바 모든 유가들의 기본적인 덕목이다. *時中 사상에 대해서는 곽신환의 논문을 참조. 곽신환,『주역의 이해』, 서광사, 1990, pp. 260~266.* 이는 젊은 시절 사장파로서 이병기를 흉내 내던 이호우뿐만 아니라, 일제시대까지 사장파의 거두이던 이병기에게까지 나타난다. 이병기는 해방이후 강한 사회 역사의식을 가지고 공적 생활을 주제로 한 시조들을 남기게 된다. *최승호, 앞의 논문, p.172.* 이런 의미에서 역사적 상황에 따라 사장파적인 시인들도 도학파적인 모습을 보이게 된다. 문장파 시인들이 모두 그런 길을 걸어갔던 것은 시사하는 바가 크다. *최승호, 앞의 논문, p.99, pp167~178.* 이호우는 바로 가람의 추천으로「문장」지를 통해 시단에 나왔다. 그리고 처음 얼마동안은 이병기식의 사장파적인 풍류놀음을 하다가 해방 후 완전히 도학파로 탈바꿈하게 된다. 이는 그가 영남 사림의 후예라는 것과 무관하지 않으리라.

유가적 출처관은 결국 생명사상이 개인적 차원을 넘어서서 사회, 국가, 민족적인 데까지 확산된 것이다. *최승호, 앞의 논문, p.168.* 이는 바로 '독선獨善'의 생활방식을 넘어서 '겸선兼善'의 생활방식으로의 전환이다. '독선'이 '자연'속에서 개인적인 생명적 즐거움을 누리는 것이라면, '겸선'은 그 생명적 즐거움이 인간과 사회적인 측면으로 넓혀진 것이다. 그러면 이호우에게서 이러한 생명사상의 확산이 어떻게 일어나는지 알아보자.

1. 역사, 현실비판 의식

8.15 해방과 6.25 전쟁을 거치는 동안 좌우익 소용돌이에의 참여, 전쟁체험, 그리고 자유당 독재에 대한 항거를 거치면서 그는 강한 현실참여 시인으로 변모해갔다. 한마디로 격심한 현실의 소용돌이 속에서 비켜서지 않고 적극적으로 시대와 대결한 시인이었다. 그리하여 해방 전의 '소박한 시인'에서 벗어나기 시작하였다. "아무 억지도 없고 꾸밈도 없고 구김도 없다" 라든가 "무슨 엉뚱한 굉장한 소리를 하려고 애쓰면 잡치고 만다"는 가람식의 시학 태도와는 정반대의 자리에 이호우가 우뚝 서게 된 것이다. *김윤식, 앞의 글, p.515.* 여기에 이호우 시조학의 본령정계가 비롯되는 것이다. 현실에의 치열한 대결의식, 이 가열 찬 시정신은, 앞서 말한 대로, 단수에로의 고집으로 나타났거니와 한국 현대시조의 새로운 가능성을 보여주고 현대시조의 정점에 이르게 된 것

이다.

그 눈물 고인 눈으로 순아 보질 말라
미움이 사랑을 앞선 이 각박한 거리에서
꽃같이 살아 보자고 아아 살아 보자고

욕이 조상에 이르러도 깨달을 줄 모르는 무리
차라리 남이었다면, 피를 이은 겨레여
오히려 돌아앉지 않는 강산江山이 눈물 겹다

벗아 너마자 미치고 외로 선 바람벌에
찢어진 꿈의 깃폭인양 날리는 옷자락
더불어 미쳐 보지 못함이 내 도리어 섧구나

단 하나인 목숨과 목숨 바쳤음도 남았음도
오직 조국의 밝음을 기약함에 아니던가
일찍이 믿음 아래 가신 이는 복되기도 했어라
–「바람벌」 전문

'바람벌'이란 바람이 불어대는 삭막한 들판을 일컫는다. 그리고 그것은 바로 타락하고 욕된 현실상황에 대한 비유이다. 아마 자유당 시기의 독재를 두고 읊은 시라고 보여진다. 여기서는 더 이상 소박한 시인이 아니라, 소위 '정념적 시인' 곧 '낭만적 시인'의 모습이 나타난다. 쉴러에 따르면, 낭만적 시인은 대립, 갈등 속에서 이상세계를 추구한다. *쉴러, 앞의 글.* 이런 이상주의적 세계관 때문에 시인은 현실을 준엄하게 비판한다고 볼 수 있다.

제1연에서 현실은 미움이 사랑을 앞서는 각박한 거리로 나타난다. 그럼에도 불구하고 절망에 빠지지 말고 꽃같이 살아보자고 갈망한다. 여기서 '꽃'은 바로 앞으로 도래할 이상적인 세계에 대한 비유이다. 그래서 '순이'더러 눈물 고인 슬픈 눈으로 이 현실을 보지 말기를 권고하고 있다.

그런데, 제2연에 이르면 이 현실을 각박한 거리로 타락시킨 원흉들의 모습이 나타난다. 그들은 근본적으로 타락하여 욕이 조상에 이르러도 깨달을 줄 모르는 무리이다. 차라리 남이었다면 좋았을 그런 무리이다. 여기까지 이 시조의 저류를 관통하는 미학사상을 살펴보면, 그것은 바로 민족적인 생명력의 고양을 위한 몸부림이다. 제1, 2연에서는 민족의 생명력이 꺾어진 상태에서 좌절하지 말고 굳건히 일어서기를 갈망함과 동시에, 이 민족의 생명력에 손상을 입힌 원흉들에 대한 대사회적 질타가 배어 있다.

제3연에서 이런 대사회적 질타는 극한 상황에 이른다. '벗'은 이런 상황에서 미쳐버렸고, 그래서 꿈도 모두 갈기갈기 찢어졌다. 드디어는 시적 자아마저도 미치지 못하고 있다는 것에서 자학하는 모습을 보여주고 있다. 이는 그만큼 생명력이 꺾이고 혼돈에 처했음으로 인해 고통스러워하는 모습을 보여주고 있다. 그리하여 마지막 연에 이르면 순국한 선열들의 깨끗한 목숨이 오히려 부러워지는 것이다.

이처럼 「바람벌」이라는 시조는 당대 우리 민족 현실이 처한 욕된 상황에서 그런 상황을 초래한 위정자들에 대한 가열 찬 비판의식을 보여주고 있는 작품이다. 이 작품으로 이호우는 반공법을 위반한 사상범으로 몰리어 처형 직전에까지 이르기도 하였다. 생명의식에 바탕을 둔 이러한 가열 찬 시정신은 그의 후기 시조 도처에 나타난다.

무슨 업연業緣이기
먼 남의 골육전을

생때같은 목숨값에
아아 던져진 삼불군표三弗軍票여

그래도 조국의 하늘이 고와
그 못감고 갔을 눈
─「삼불야三弗也」 전문

이 시조는 월남전에 파병되었다가 전사한 청룡부대 K하사의 죽음을 소재로 한 작품이다. 시작 메모에 따르면, K하사는 캄란에 상륙한 지 3일만에 죽었다. 부대 재무관은 고향으로 돌아가는 K하사의 유해 위에 삼불三弗을 올려놓고 눈물을 뿌렸다. 사흘 복무했으니 삼불三弗이 나왔던 것이다. 이는 바로 남의 골육전에 괜히 끼어들어 희생당한 조국의 젊은이의 목숨을 기린 것이다. 그러나 그 속을 들여다보면 바로 제3공화국의 위정자들에 대한 날카로운 비판이 들어있음을 알 수 있다. 전쟁이란 것만도 생명력을 앗아가는 끔직한 것인데, 그것도 남의 골육전에까지 끼어들어 우리의 소중한 생명력을 손상시킬 수 없다는 것이다. 민족적 국가적 차원으로 고양된 이러한 생명사상은 다음과 같은 시조에서 애절한 민족의식으로 나타나기도 한다.

두견이 운 자국가
피로 타는 진달래들

약산 동대에도
이 봄 따라 피었으리

꽃가룬 나들련마는
촉도보다 먼 한 금
–「춘한春恨 II」 전문

임 가신 저문 뜰에 우수수 듣는 낙엽
잎잎이 한恨을 얻어 이밤 한결 차거우니
쫓기듯 떠난 이들의 엷은 옷이 맘 죄네

피기는 더디하고 지기만 쉬운 이 뜰
이 몸이 쉬어지면 봄바람이 되어설랑
서럽고 가난한 이를 먼저 찾아 가리라
–「낙엽」 전문

앞의 시조 「춘한 II」는 부제로 "— 아아 삼팔선三八線"이라고 되어 있다. 통일을 이룩하지 못하고 분단된 채 또 한 번의 봄을 맞이하는 시인의 안타까운 심정이 잘 나타나 있다. 첫 연에서 진달래는 민족적 정서가, 그것도 민중적 정서가 가장 잘 집약되어 있는 상징물이다. 그 진달래의 붉은 빛은 한 맺힌 빛깔임에 틀림없다. 왜냐하면 두견이 운 자국이고, 피로 탄 것이기 때문이다.

제2연에 오면 이 민족의 꽃이 북한에도 피었을 것을 생각하니 더욱 애절한 심경이 보인다. 북한에도 꼭같이 봄이 왔건만 그 봄을 따라 북한에 갈 수 없는 안타까운 심정이 나타나 있다. 그것은 제3연에서 확인된다. 꽃가루는 38선을 넘어 자유로 왕래하지만, 한반도에 사는 주민들에겐 이 38선이 축도보다 더 멀고 험한 줄이라는 것이다. 결국 이 작품에서 시사하는 바는, 자연계에는 봄이 돌아와 생명력이 소생되고 고양되어 있지만, 이 민족에게는 진정한 봄은 없고 따라서 생명력이 꺾여 있다는 것이다. 그리고 민족적인 차원에서의 생명력의 꺾임은 바로 38선 때문이라는 것, 냉전 이데올로기 때문이란 것이다. 이 이데올로기를 넘어서 민족적인 생명력을 회복하는 것이 시인의 바램인 것이다.

뒤의 시조 「낙엽」에서도 이러한 민족적인 생명력의 소생을 위한 바램이 여실히 나타나 있다. 이 시조에 대해서는 이호우 자신이 「가을 앞에서」라는 산문에서 그 배경과 동기를 기록해 놓고 있다. "이것은 지난날 우리 강토가 남의 것이 되어 있었던 때 가을밤 낙엽소리를 들으며 이역으로 망명한 분들의 엷은 옷을 근심한 졸작 시조"이다. *이호우, 「가을 앞에*

서」, 『대구일보』, 1964. 9. 12. 이 작품에서는 독립운동을 하느라 쫓겨 다니는 이들의 위축된 생명력을 안타까워하는 시적 화자의 모습이 보인다. 그리고 시적 자아는 제2연에서 서럽고 가난한 이들, 곧 생명력이 쇠잔해진 동포에 대한 뜨거운 민족애를 보이고 있다. 이처럼 이호우는 해방 전후 민족적 국가적 차원에서 생명력의 고양을 갈망하고 그것을 달성하고자 분투한 시인이었다. 이는 그가 결국 유가적인 형이상학적 생명사상에 바탕을 둔 시인이기 때문에 그렇게 나타난 것으로 볼 수 있다.

2. 내면으로의 응축

역사, 사회, 민족, 현실에 대한 이호우의 가열 찬 생명의지는 에너지의 외향적인 발산이다. 그런데 성숙한 시인이라면 역사, 사회현실에 대한 비판과 고발만 있을 뿐 아니라, 그 상황을 마주하고 있는 자기 자신에 대한 응시와 반성이 있어야 한다. 그럴 때만 그의 현실비판은 내적인 깊이와 진정성을 획득할 수 있게 된다. 이호우에게는 특히 후기 시조에서는 이러한 내면으로의 응축을 보이는 시조가 더러 나타난다. 이러한 현상은 후기로 올수록 더욱 두드러진다. 이와 같이 외부 현실에 대한 가열성이 그대로 자신의 내면으로 전환되고 있는 데서 이 시인의 훌륭함과 진실성을 엿볼 수 있다.

먼저 제Ⅱ장에서 분석한 시조 「휴화산」의 경우부터 다시 살펴보자. 시적 주체는 끓는 가슴을 달래어 잠자듯이 이 치욕스런 날들을 견디고 있다. 그리고 이 견딤의 미학은 언젠가 있을 그날을 믿어 함부로하지 못함 때문이다. 이 '함부로 하지 못함'의 시정신이 지닌 가열성은 바로 자기 내면으로의 응축의 결과이다. 바깥세상이 혼탁할 때 함부로 공격의 화살을 날리는 것이 아니라, 자기 자신을 갈고 닦으며 만반의 준비를 마련해 놓는 것, 이는 생명력의 진정한 고양을 위해 필수 불가결한 행위이다. 이러한 내적 응축이 잘 나타난 시조로 다음과 같은 작품들도 있다.

배앝아도 배앝아도
돌아드는 물결을 타고

어느새 가슴 깊이
자리잡은 한개 모래알

삭이려 감싸온 고혈의
구슬토록 앓음이여
–「진주」 전문

차라리 절망을 배워
바위 앞에 섰습니다

무수한 주름살 위에
비가 오고 바람이 붑니다

바위도 세월이 아픈가

또 하나 금이 갑니다.

—「바위 앞에서」 전문

먼저 「진주」에서는 이러한 내면으로의 응축이 매우 상징적인 방법으로 제시되어 있다. 내어뱉음과 안으로 돌아들음이 무수히 반복되어 있다. 내어뱉음은 곧 외적 세계에 대한 저항과 내면의 분출이다. 내어뱉고 뱉어도 결국 안으로 돌아드는 내면으로의 응축은 피할 수 없는 운명이다. 그러는 중 어느새 가슴깊이 자리 잡은 한 개의 모래알은 바로 내적인 생명력이 응축된 구슬이다. 삭이려고 감싸온 고혈의 구슬이다. 이 구슬이 맺히도록 얼마나 가열차게 자기와의 싸움이 일어났겠는가. 여기서 이호우 시조학의 만만찮음이 다시 한 번 확인되는 것이다.

다음 작품 「바위 앞에서」도 마찬가지로 내면으로의 응축을 보여주고 있다. 현실에서의 이상 추구가 불가능함을 뼈저리게 느낀 후, 시적 자아는 차라리 절망을 배워 바위 앞에 섰다. 이때 자아는 체념 상태에서 어떠한 역경에서도 꿈쩍 않는 바위의 의지를 배우고자 한다. 결국 바위는 어떠한 상황에서도 상처를 받지 않고 생명력을 그대로 유지하고 있는 강인한 이미지를 보여준다. 그러한 바위 같은 생명력을 내면에 간직하고 싶다는 것이다. 그런데 자신의 내면에 들어 있는 바위도 세월이 아픈지 또 하나 금이 가고 있다. 이는 내적인 생명력을 보존하기도 어려울 만큼 외적 상황이 참담함을 비유적으로 드러내고 있는 것이다. 이러한 내면으로의 응축은 결국 외면으로의 펼침과 조화를 이룰 때 보다 성숙한 시정신으로 구현된다. 그런 의미에서 「기旗빨!」은 내면과 외면, 원심력과 구심력이 잘 맞물린 빼어난 작품이다.

기旗빨! 너는 힘이었다 일체一切를 밀고 앞장을 섰다
오직 승리의 믿음에 항시 넌 높이만 날렸다
이날도 너 싸우는 자랑 앞에 지구는 떨고 있다.

온몸에 햇볕을 받고 기旗빨은 부르짖고 있다
보라, 얼마나 눈부신 절대의 표백인가
우러러 감은 눈에도 불꽃인양 뜨거워라.

어느 새벽이드뇨 밝혀든 횃불 위에
때묻지 않은 목숨들이 비로소 받들은 기旗빨은
성상星霜도 범하지 못한 아아 다함 없는 젊음이여.
–「기旗빨」 전문

이때 '깃발'은 외면적 내면적 생명력의 표상이다. 생명력의 외면적 펼침은 밖으로 드러나는 '힘'이다. 그리고 그 힘은 일체를 밀고 앞장을 서게 하는 것이다. 따라서 그것은 오직 승리의 믿음에 항시 '높이만' 날렸다. 이러한 깃발의 외면적인 위용 앞에 지구도 떨고 있다. 그러나 깃발의 이러한 외면적인 위용도 결국은 그것이 지닌 내적 생명력의 충일 때문이다. 내적 생명력의 충일은 깃발이 지닌 '절대순수'때문이다. 즉 그것의 표출이 곧바로 외면적인 위용이다. 이렇게 외면적 내면적 생명력의 고양과 들고남이 바로 성상도 범하지 못하는 거룩한 깃발을 만드는 것이다. 이런 의미에서 「기旗빨」은 이호우 시조의 한 정점에 서 있는 것이다.

Ⅳ. 맺음말

본고에서는 지금까지 이호우 시조 전반에 걸쳐 나타난 시정신을 고찰해 보았다. 그리고 그 시정신의 저류에 흐르는 내적 일관성에 대해서도 알아보았다. 주지하다시피, 이호우는 초기에는 순수 자연시로 된 전통 서정시로 출발하였다. 그러다가 인생론적 자연시를 거쳐 역사, 현실비판적인 시로 옮아갔다. 이 글에서는 이렇게 전개되어간 이호우 시조의 밑바탕에 변화 가운데 변하지 않는 본질적인 미학정신을 추출하였다. 그것은 바로 생명사상이다.

그의 순수 자연시는 데뷔할 때부터 당분간 지속되었다. 그리고 그것은 가람식의 전통 서정시의 영향권 아래 놓여 있었다. 그리고 역시 가람식의 연작 형태를 띠는 등 가람의 시조미학을 그대로 답습한 것이었다. 그것은 바로 풍류의 시학이다. 그러면서도 때에 따라 전통적 정한의 정서도 띠고 있었다.

이 시기 시조는 대체로 봄을 소재로 한 것이 많았는데, 시적 자아와 세계는 생명력이 충일한 상태에서 상호 확산적으로 교감을 하고 있었다. 시적 자아는 그런 상태에서 자신과 자연의 생명력을 즐기고 있었다. 그리고 그 생명사상은 유가적인 미의식에 닿아 있음을 알 수 있었다.

그의 인생론적 자연시는 자연에다 인생론적 의미가 투영된 것이다. 이 시조들은 이호우가 순수 자연을 떠나 도시로 들어가서 세속적인 체험을 하고 난 후의 세계이다. 그러나 유가적인 의미에서 '출出' 그 자체의 상황은 아니다. '출出'의 상황에서 회의를 느끼고 '자연(처處)'을 그리워하며 쓴 시이다. 즉 도시에서의 역사적 영역에서의 삶의 피폐함을, 다시말해 생명력의 손상을 체험하고 그것을 대자연 속에서 회복하고 싶어하는 염원에서 나온 작품들이다. 여기서도 여전히 유가적인 생명미학이 뿌리 내리고 있다. 그리고 이러한 인생론적 자연시는 후기 사회역사시와 초기 순수 자연시 사이에서 가교 역할을 해내고 있다.

그의 사회역사시로의 전환은 유가들의 일반적인 처세관인 시중時中사상에 그대로 닿아 있다. 일제가 물러난 후, 현실에 참여할 수밖에 없었기 때문이다. 그런데 그는 해방정국, 6.25 전쟁, 이승만 독재정권을 거치면서 수많은 회의와 좌절을 겪게 된다. 그리고 생명사상에 뿌리를 둔 가열찬 시정신으로 이 시대 상황에 대결하게 된다. 이호우 시조가 가람식의 사장파적인 경지에서 벗어나 이처럼 사회 역사적인 영역으로 확산됨으로 해서, 그의 작품 세계는 새로운 차원에 이르게 된다.

그의 가열 찬 시정신은 끝내는 단수정신으로 귀결되고, 그 속에서 현대시조의 새로운 가능성을 정점으로까지 끌어 올린다. 그는 이제 가람류의 '소박한 시인'이 아니라, '정념의 시인' '낭만적 시인'으로 탈바꿈했다. 그리고 이 사회 역사시로서의 그의 후기 시조에서는 바로 사회적인 민족적인 국가적인 차원에서의 생명력이 주제로 대두되고 있다. 그는 이제 자연 속에서의 개인적 생명력의 문제를 넘어서서 대사회적, 민족적 역사적 차원에서의 생명력의 문제를 다루고 있는 것이다. 인간과 인간간의 생명력의 교류와 그것의 고양, 이것이 그의 후기 시조학이 발 딛고 있는 본바탕인 것이다.

그런데 그의 후기시조가 모두 대사회적인 외면적인 방향으로만 흐른 것은 아니다. 외면적인 방향으로 발산되던 에너지는 가끔 시인 자신의 내면으로 돌아들어 응축되기도 했다. 이것은 역사, 현실을 비판하는 시인이 결국 자기 자신을 내면적으로 성찰 비판하는 측면인데, 훌륭한 참여시인이라면 반드시 짚고 넘어가야할 덕목이기도 하다. 그렇게 해야만 그의 시가 보다 많은 진실성을 획득하게 된다. 그리고 그것은 그의 시정신의 가열성에 비례하여 강력하게 나타난다. 또한 그의 내면으로 향한 정신의 가열성 역시 생명사상에 대한 그의 집념을 반증하는 것이다. 이렇게 그의 시조는 다양하게 전개되었다. 그러면서도 그 밑바탕에는 일관된 미학사상이 흐르고 있었다. 그것은 바로 생명미학이었다. 그리고 그 생명미학은 유가적인 데서 도출되고 있었음을 알 수 있다.

최서림
1956년 경북 청도 출생,서울대 국문학과 동 대학원 박사과정 졸업. 1993년 《현대시》로 등단. 시집 『이서국으로 들어가다』 외 8권. 클릭학술문화상, 애지문학상, 동천문학상 수상

1912.3.2(음) 경북 청도군 대성면 내호동 (현재 청도읍 내호리) 259번지에서 선산군수였던 아버지 이종수(慶州李氏 鍾洙)와 어머니 구봉래具鳳來 사이의 2남 2녀 중 차남으로 출생. 필명 이호우爾豪愚

1924년 향리의 의명학당義明學堂을 거쳐 밀양 보통학교 졸업하고 경성제일고등보통학교에 입학.

1928년 신경쇠약증세로 낙향.

1929년 일본 동경 예술대학에 유학.

1930년 신경쇠약증세 재발과 위장병으로 학업포기, 귀국.

1934년 경북 칠곡의 김해 김씨金海金氏 진희晋熙의 영애 순남順男과 결혼.

1935년 장남 상붕相鵬 출생.

1936년 시조〈영춘송迎春頌〉으로 동아일보 신춘문예 당선작 없는 가작 입선. 이후 40년 추천 전까지 동아일보 독자투고에 〈낙엽〉,〈진달래〉,〈새벽〉 등을 투고, 선을 맡은 이병기 선생이 엽서를 보내 문장지 추천제로 안내함.

1937년 차남 상인相麟 출생.

1940년 시조 〈달밤〉이 추천됨. (《문장》지 6,7월 합호 이병기 추천)

1941년 3남 상국相國 출생. 이때부터 45년까지 고향에서 정미소(상공상사三共商會), 만불상, 재제소(흥아임업회사興亞林業會社) 등을 경영.

1946년 고향의 가산을 정리하여 대구 대봉동으로 이사. 이후 한때 대구고등법원 재무과장, 적산인 문화극장의 사무국장.

1949년 남로당 도간부로 모략을 받아 군법회의에서 사형언도를 받음.

1950년 봄에 무죄로 석방됨. (당시 대통령 비서실장인 시인 김광

섭의 진언으로 석방)

1952년 이후 대구일보 문화부장, 논설위원, 서울지사장.

1953년 대구시 화전동 43번지로 이사.

1954년 윤계현尹啓鉉과 함께 《고금명시조정해古今名時調精解》(문성당) 출간.

1955년 시조〈바람벌〉 대구대학보(현 영남대) 발표, 이 작품이 반공법에 저촉 기소. 첫 시조집 《이호우시조집爾豪愚時調集》(영웅출판사)에 시조 70편(6 · 25전까지의 작품) 수록.

1956년 경북문화상(문학부문) 수상.

1956년 4월부터 익년 7월까지 대구매일신문 편집국장.

1958년 매일신문 편집국장 재취임.

1958년 KNA기 납북사건 때 매일신문 사설로 필화.

1960년 경북반민주행위자 조사위원회 위원. 이후 일체 공직에 나가지 않음. 대구시 대명동 1805번지(청구주택 60호)로 이사.

1961년 청마 유치환과 전국 예술단체 총연맹(예맹) 결성.

1967년 영남시조문학회 초대회장.

1968년 시조집 《휴화산休火山》(중앙출판공사) 간행

1970년 1월 6일 대구 동문다방을 나와 귀가 중 심장마비로 졸도, 경대부속병원으로 옮기는 중 타계.

1970년 1월 10일 10시 협성상고 교정에서 문인장 거행.(밀양군 상동면 선영 안장)

1972년 1월 6일 대구 앞산 공원 이호우시비 제막.

1991년 이호우 시조문학상 운영위원회 발족.

1992년 제1회 이호우시조문학상을 시상하고 이호우시조문학상 기금마련 전시회를 가짐.

1992년 1월 6일 민병도, 문무학 편저로 이호우시조전집 《차라리 절망을 배워》(그루) 간행. 12월 25일 기념문집 《개화》 발간.

1992년 12월 15일 청도군 남성현 고개에 이호우 시비(살구꽃 핀 마을) 제막.

2000년 〈우리시대 현대시조 100인선〉 이호우시조집 『개화』 간행.

2001년 이호우시조문학상을 청도군에 이관하고 〈청도군이호우시조문학상 조례〉가 제정됨. 11월, 청도군 주최로 제11회 시상식이 군민회관에서 거행됨.

2003년 11월 29일 선생의 향리에 시비(살구꽃 핀 마을)가 세워지고 '오누이공원'이 조성됨.

2009년 11월 13일 제1회 이호우 · 이영도 시조문학제가 열리고 시상식이 함께 열림.

2011년 11월 11일 현재 제3회 이호우 · 이영도 시조문학제가 열리고 시상식과 함께 기념문집 《개화》 20집이 발간됨.

2012년 이호우 선생 탄생 100주년을 맞아 대산문화재단 선정 〈탄생 100주년의 문학인〉으로 선정되어 기념행사가 열리는 한편 제4회 이호우 · 이영도 시조문학제 특별행사의 일환으로 『이호우시조전집』이 발간됨.

2022년 이호우 선생 탄생 110주년을 맞아 '미발표 자유시 발표'와 함께 《개화》와 《청도문학》에 기획특집을 마련함.